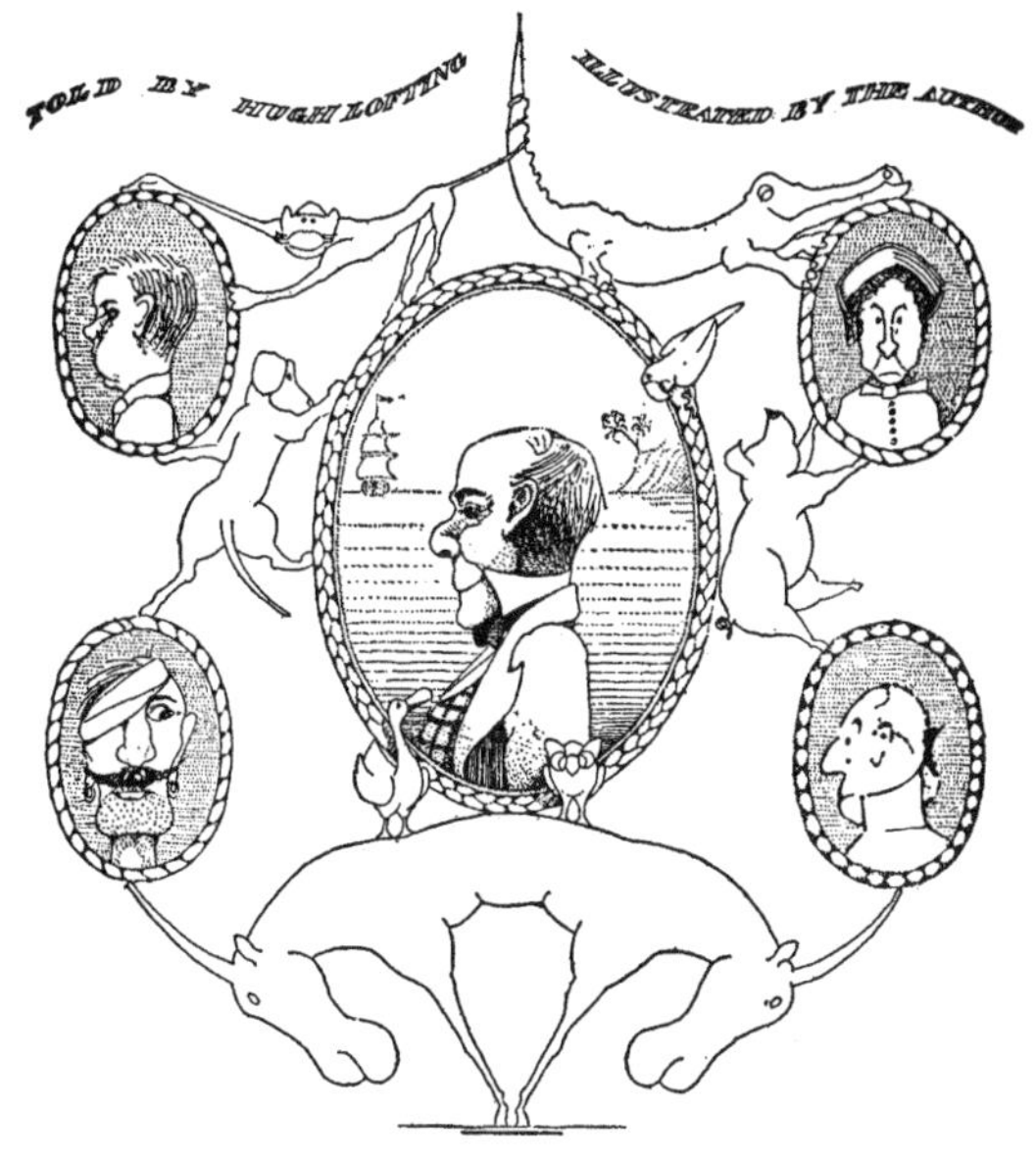

ドリトル先生アフリカへ行く

ヒュー・ロフティング

金原瑞人 藤嶋桂子 共訳

竹書房

THE STORY OF DOCTOR DOLITTLE

by Hugh Lofting

Japanese translation rights arranged with
The Lotts Agency, Ltd.
through Japan UNI Agency, Inc., Tokyo

竹書房

ドリトル先生アフリカへ行く

もくじ

ドリトル先生
アフリカへ行く

1 パドルビー

　むかし、むかし、わたしたちのおじいさんが子どもだったころ、ひとりのお医者さんがいた。名前はドリトル――医学博士のジョン・ドリトルといった。医学博士というのは、いろいろなことをよく知っているりっぱなお医者さんのことだ。

　ドリトル先生は、「川のほとりのパドルビー」という小さな町に住んでいた。町の人はみんな、子どもも大人も、先生の顔をよく知っていた。だから、先生がシルクハットをかぶって町の通りを歩いていると、だれもがこういった。「ほら、先生だ！　先生はすごく頭がいいんだよ」そして、イヌも子どももみんな先生にかけよって、あとをついて歩いた。教会の塔に住んでいるカラスも、カァと鳴いてあいさつをした。

先生は、町のはずれに住んでいた。とても小さな家だったが、庭はとても大きくて、広い芝生には石のベンチがいくつかあって、その横にはシダレヤナギが生えていた。先生にはセアラ・ドリトルという妹がいて、家のきりもりをしてくれていたが、庭の手入れは先生が自分でしていた。

先生は動物が大好きで、いろんなペットを飼っていた。庭のすみの池には金魚を飼っていたし、食料庫にはウサギ、ピアノのなかには白ネズミ、タオルを入れる戸だなにはリス、地下室にはハリネズミもいた。足の悪い年寄りのウマはもう二十五さいで、そのほか、ウシの親子、ニワトリ、ハト、二頭のヒツジなど、たくさんの動物がいた。なかでも、先生と仲良しだったのは、アヒルのダブダブ、イヌのジップ、子ブタのガブガブ、オウムのポリネシア、フクロウのトートーだ。

先生の妹は、動物のことでしょっちゅう文句をいった。動物のせいで家が片付かないというのだ。そんなある日のこと、リウマチにかかっているおばあさんが先生の診察を受けにやってきて、ハリネズミの上にすわってしまった。ハリネズミがソファで寝ていたからだ。おばあさんは二度と診察を受けにこなかった。か

おばあさんは二度と診察を受けにこなかった。

わりに、毎週土曜日になると、十五キロ先のオクスンソープという町まで馬車で行って、別の先生の診察を受けるようになった。

そのうち、妹のセアラ・ドリトルが先生のところにきていった。「兄さん、こんなんじゃ患者さんがくるはずないわ。家でこんなにたくさんの動物を飼うのをやめたら？　すてきよねえ、診察室にハリネズミやネズミがいるお医者さんなんて！　動物のせいでこなくなった患者さんは、これで四人目。地主のジェンキンズさんも、町の牧師さんも、ここには二度と近づかないといってるそうよ——どんなに重い病気になっても、行かないって。うちは日に日にびんぼうになってる。こんなことを続けていたら、今は診察を受けにきてくれてる患者さんも、そのうちこなくなるわよ」

「わたしは、そういう患者さんより動物のほうが好きなんだ」

「ばかみたい」妹はそういうと、部屋を出ていった。

こうして、先生が飼う動物はどんどんふえていき、先生のところへくる患者はどんどんへっていった。とうとう、患者はひとりもこなくなった。ただ、ネコのえさを売る男だけは、あいかわらずやってきた。どんな動物がいても平気だったからだ。しかし、ネコのえさ売りはあまりお金を持っていなかったし、病気になるのは年に一度だけだった。毎年クリスマスのころになると、えさ売りは先生に六ペンスはらって薬をひとびん買った。

一年に六ペンスではくらしていけない。いくらむかしでも、それはむりだった。先生が貯金箱にお金を貯めていたからよかったものの、そうしていなかったら、いったいどうなっていたことだろう。

それでも、先生はペットをつぎつぎとふやしていく。とうぜん、えさ代がたくさんかかる。こうして、先生が貯めていたお金はみるみる少なくなっていった。

そのうち、先生はピアノを売って、ネズミには机の引き出しに引っ越してもらった。そうやって手に入れたお金がなくなってくると、今度は日曜日に教会に行くときに着る茶色のスーツまで売ってしまった。こんなふうにして、先生はもっともっとびんぼうになっていった。

そのころになると、先生がシルクハットをかぶって通りを歩くと、人々は顔を見あわせてこういうようになった。「ほら、医学博士のジョン・ドリトルだ！　イギリス西部でいちばん有名だったときもあったけど——今じゃ、ごらんよ——あれほどびんぼうな人もめずらしい。くつしたは穴だらけだ！」

しかし、イヌやネコや子どもは、あいかわらずかけよって、あとをついて町を歩いた。先生がお金持ちだったころとちっとも変わらなかった。

2 動物の言葉

ある日のこと、ドリトル先生は台所でネコのえさ売りとおしゃべりをしていた。えさ売りはおなかがいたくて、先生にみてもらいにきていたのだ。

「なんで先生は、人間の医者をやめて動物のお医者にならないんだね？」ネコのえさ売りがきいた。

オウムのポリネシアは窓辺にとまって、雨をながめながら船乗りの歌を口ずさんでいたが、歌うのをやめてきき耳をたてた。

「だって、先生」ネコのえさ売りが続けた。「先生は動物のことならなんでもごぞんじだ。このあたりの獣医とはくらべものになんねえ。先生がお書きになったあの本――あのネコの本、あれはすごい！　おれは読み書きなんかできねえが、まあ、できてたらとっくに本を書いてますって。いえね、うちのシオドーシアが——ええ、おれのかみさんなんですが——読み書きができるんですよ。すごいでしょ。それで先生の本を読んできかせてくれたんですよ。ありゃあ、いい本だ。ほかになんといったらいいんだか——とにかくすごい。先生はネコなんじゃないかと思ったくらいだ。先生には、ネコの考えていることがわかるんだな。それにね、動物のお医者ってえのはもうかる。知ってました？　そうだ、町のばあさんたちのネコやイヌが病気になったら、先生のところに行くようにいってやりますよ。もし、あんまり病気になんねえようだったら、売り物のえさに混ぜ物をして病気にしちまいましょう、どうです？」

「だめだめ」先生はあわてていった。「そんなことをしてはいけない。それはよくない」

「ちょこっと元気がなくなるくらいってことですよ、おれがいったのは。まあ、先生のおっしゃるとおり、動物からしたらめいわくでしょうね。だけど、ほっといたって、あいつらは病気になっちまいますよ。ばあさんたちは、えさをやりすぎだ。それに、ほら、どんな農家にだって足の悪いウマとか元気のない子ヒツジくらい、いるもんでしょ。きっと、はんじょうしますって。動物のお医者になったらどうです」

　ネコのえさ売りが帰ってしまうと、オウムのポリネシアが窓辺から飛びたって、テーブルにきて、いった。

「あの男のいうとおり。そうなさい。動物のお医者さんになるんです。ばかな人間の相手なんか、やめたらいい。あの人たちはね、脳みそが足りなくて、先生が世界一のお医者さまだってのがわからないんですよ。人間じゃなくてあたしたち動物をみてください。動物なら、先生が世界一のお医者さんだとすぐにわかります。動物のお医者さんにおなりなさい」

「動物の医者はたくさんいるよ」ジョン・ドリトル先生はそういうと、植木ばちを窓の外に出して、雨が当たるようにした。

「そう、山ほどね」ポリネシアがいった。「でも、ひとりとしてまともな医者はいない。いいですか、先生、いいこと教えてあげましょ。動物はね、言葉を話せるんですよ」

「オウムがしゃべれるのは知ってるよ」

「いえ、あたしたちオウムは二種類の言葉がしゃべれるんです。人間の言葉と、それから、鳥の言葉」ポリネシアはとくいそうにいった。「あたしが〝ポリネシアはクラッカーがほしい〟といったら、なんといったかわかりますよね。でも、これはどうです？　〝カーカーオィー、フィーフィー〟」

「いや、おどろいた！」先生が大声を出した。「どういう意味だい？」

「これは、〝おかゆはまだ熱い？〟という意味です。鳥の言葉でね」

「え！　ほんとうか？　おまえはそんないい方をしたこと、ないじゃないか」

「こっちのほうがよかったですか？」ポリネシアはそういって、左の翼からクラッカーのかけらをはらい落とした。「こんなふうにいったら、先生にはわからなかったでしょ」

「もっと教えてくれ」先生はすぐに、食器だなの引き出しから、ノートとえんぴつを取ってもどってきた。「さあ、なるべくゆっくりいってくれ——書きとめるから。こいつはおもしろい。ひじょうに、おもしろいぞ。きいたことがない。まずは鳥の〝ABC〟から教えてくれ。ゆっくりとたのむ」

こうしてドリトル先生は、動物には動物の言葉があって、それでおたがいに話ができることを知った。そして、その日の午後ずっと、雨がふっているあいだずっと、ポリネシアは台所のテーブルにとまって鳥の言葉を教え、先生はそれをノートに書きとめた。

お茶の時間になって、イヌのジップが台所に入ってくると、ポリネシアが先生にいった。「ほら、ジップが先生に話しかけてますよ」

「耳をかいているだけじゃないのか?」

「動物は口を使って話さないときもあります」ポリネシアがかん高い声でいって、まゆをつりあげた。「動物はおしゃべりするとき、耳や、足や、しっぽや——いろんなところを使うんです。ぜったいに音を立てたくないときだってあるから。ほら、ジップの鼻の穴が片方だけぴくぴくしているでしょ?」

「なんていってるんだ?」

「〝雨はやんでるよ。わかってる？〟ときいてるんです」ポリネシアが答えた。

「ジップは質問をしているんです。イヌが質問をするときはね、だいたい鼻が動くもんなんです」

先生はポリネシアに手伝ってもらって、動物の言葉を勉強した。しばらくたつと、動物に話しかけられるようになったし、動物のいうことはなんでもわかるようになった。そこで、先生は人間の医者をすっかりやめてしまった。

ネコのえさ売りは、ジョン・ドリトル先生が動物のお医者になるという話をあちこちでふれまわった。こうして、おばあさんたちは先生のところに、おやつを食べすぎたペットのパグやプードルを連れてくるようになったし、農家の人は何キロも先から病気のウシやヒツジをみせにきた。

ある日、畑をたがやすウマが先生のところに連れてこられた。病気のウマは、ウマの言葉を話せる人に会えて、とてもよろこんだ。

「いやあ、先生」ウマはいった。「丘のむこうの獣医はなんにもわかっちゃいねえ。もう六週間もあの医者はあっしの治療を続けてるんだが、かかとにはれ物ができてる、なんてぬかしやがる。あっしに必要なのはめがねなんだ。片方の目がほとんど見えないんだから。ウマがめがねをかけたっていいじゃあないですか、人間みたいに。丘のむこうのやぶ医者は、あっしの目をみようともしねえ。いつも、でっかい丸薬を出してくる。あっしはあの医者に教えてやろうとしましたよ。そんでも、あの医者にはウマの言葉がわからない。あっしにはね、めがねがいるんです」

「いいとも、もちろんだ」先生はいった。「すぐに用意しよう」

「先生がかけてるようなのをたのみます」ウマがいった。「ただ、レンズの色は緑がいい。そうすりゃ、太陽の光が目に入らないから、二十ヘクタールの畑をたがやすのも、ちったあ楽になりまさあ」

「もちろん、そうしよう」先生はいった。「緑のめがねを作ってあげるよ」

「いやあ、なにがこまるって」ウマは、先生が開けてくれた玄関のドアから出ていきながらいった。「なにがこまるって、人間の医者ってのはどいつも、自分は動物を診察できると思ってることでさ——動物は文句をいいませんからねえ。じっさい、頭のいい人間でないと、ほんとうにいい獣医にはなれねえ。人間の医者よりかしこくないと。うちの農場にいる手伝いの男は、ウマのことならなんでも知ってると思ってやがる。先生に会わせてやりたいですよ。顔には肉がつきすぎて目がうもれちまってるし、脳みそときたら、ジャガイモにたかるちっこい虫の脳みそとたいして変わんねえ。あいつは先週、あっしにカラシ軟膏をぬろうとしやがった」

「どこにぬったんだ？」

「いや、ぬりゃあしませんでしたよ。どこにもね。ぬる前に、アヒルの池にけり落としてやったんで」

「おや、おや！」

「ウマは、もともと、とてもおとなしい動物で、人間にはおこらないようにしてるんでさ。あれこれさわいだりしませんて。だけど、あの獣医があっしにまちがった薬を出すのにゃあ、まいりました。しかも、あの赤ら顔の手伝いの男がよけいなことをしてきたとあっちゃあ、もうがまんがならない」

ウマはそれからも、だいじょうぶだっただろう。

「その手伝いの人にひどいけがをさせたんじゃないだろうね？」先生がきいた。

「まさか。ちゃんとねらってけってやりましたから、今ごろあの獣医にみてもらってまさ。ところで、あっしのめがねはいつできます？」

「来週にはできるよ。火曜日にまたおいで——さようなら！」

こうして、ジョン・ドリトル先生が、とてもよく見える大きな緑のめがねを作ってやったので、ウマの目はそれ以上悪くならずにすんだ。そして、それからもきっと、だいじょうぶだっただろう。

しばらくすると、農場の動物がめがねをかけているのは、パドルビーのあたりではめずらしくなくなったし、目が見えなくてこまっているウマもいなくなった。

それからというもの、先生のところに連れてこられるほかの動物もみんな、こんなふうにみてもらった。先生が自分たちの言葉を話せるとわかると、動物たちはどこがどう悪いかを教えてくれる。だから、治療はかんたんだった。

先生にみてもらった動物は、兄弟や友だちのところに帰ると、あの大きな庭の小さな家には、本物のお医者さんがいると話した。だから、動物はみんな、ウマやウシやイヌだけでなく、カヤネズミやミズハタネズミやアナグマやコウモリといった小さい動物も、病気になるたびに町はずれにある先生の家にやってきた。そんなわけで、先生の家の大きな庭は、先生にみてもらいたい動物でいつもあふれかえっていた。

あまりにたくさんの動物がやってくるので、先生はそれぞれの動物の入り口を作ってやった。玄関のドアには〝ウマ〟、家の横のドアには〝ウシ〟、台所のドアには〝ヒツジ〟と書いた。どの動物にも入り口があった——ネズミには地下室に入れる小さなトンネルがあって、ネズミはそこに列を作って、先生が診察にきてくれるのをおとなしく待っていた。

こんなふうにして何年かたつうちに、何キロも先に住んでいるいろいろな動物のところまで、医学博士ジョン・ドリトルのうわさが広まった。そして、冬によその土地に飛んでいく鳥は、外国にくらす動物にも、川のほとりのパドルビーにいるお医者さんは、動物の言葉がわかって具合の悪いところをみてくれる、すばらしい人だと話をした。こうして、ドリトル先生は、世界じゅうの動物たちのあいだで――イギリス西部の人間たちのあいだで有名だったころより、ずっと――有名になった。先生は元気に、はりきって仕事をするようになった。

ある日の午後、先生はいそがしそうに本を書いていた。ポリネシアは窓辺にとまって――だいたいいつも、そうしていた――庭に木の葉がひらひら落ちるのを見ている。そのうち、ポリネシアはわらいだした。

「どうした、ポリネシア？」先生は本から顔を上げてきいた。

「ちょっと考えてたんですよ」ポリネシアはいって、そのまま庭の木の葉をながめている。

「なにを考えていたんだい？」

「人間のことです」ポリネシアはいった。「人間て、いやですね。自分たちはすごいと思っている。世界は始まってから何千年もたっているでしょ？　それなのに、そのすごい人間がわかるようになった動物の言葉は、イヌがしっぽをふったときの〝うれしい！〟だけ。わらっちゃいませんか？　あたしたちと同じように話す人間は、先生が最初です。ほんと、ときどき人間にはうんざりしますよ。いば

病気になるたびに町はずれにある先生の家にやってきた。

りくさって。〃ものいわぬ動物たち〃とかいっちゃって。〃ものいわぬ！〃とはねえ！　そうそう、あたしの知り合いのコンゴウインコは、口をつぐんだまま七通りのいい方で〃おはよう！〃をいえました。いろんな言葉を話せましたよ――ギリシア語だってね。白いひげを生やした年寄りの教授にかわれていたんですけど、しばらくしてにげだしました。あの年寄りの教授はちゃんとしたギリシア語が話せない、といってね。教授にまちがった言葉を教えられるのが、がまんできなくなったんですって。あのインコはどうしてるかしらって、ときどき思うんです。地理のことならあのインコのほうが、人間なんかより、ずうっとよく知っていましたから。人間ときたら！　まったく！　人間が空を飛ぶようになったら――そこらへんにいるスズメのように飛ぶようになったら――あたしたちはそのじまん話をうんざりするほどきかされるんでしょうよ！」

「さすがに長生きしてるだけあって、いろいろ知っているな。いったい、何さいなんだい？　オウムやゾウはとても長生きすることがあるらしいが」

「はっきりわからないんです。百八十三さいか、百八十二さいです。でも、わかっているのは、あたしがはじめてアフリカからここへきたとき、チャールズ王(※)がオークの木にかくれていたってことです。だってね、あたしはこの目で見たんですから。死ぬほど、こわがってましたよ」

(※)清教徒革命中の一六五一年、当時のイングランド・スコットランド皇太子チャールズ(のちのイングランド・スコットランド王チャールズ二世)が議会派の軍に負けたあと、にげるときにオークの木にかくれたといわれている。

3　お金のなやみ、ふたたび

ドリトル先生はまたお金持ちになっていった。妹のセアラは新しいドレスを買って大よろこびだ。

診察を受けにくる動物のなかには重い病気のものもいて、そういうときは一週間ほど先生のうちにとまらなければならなかった。そして具合がよくなると、芝生のいすにすわって過ごした。

ときには、すっかりよくなっても帰りたがらない動物もいる。先生と先生の家をとても気に入ったからだ。そして、このまま家にいてもいいかときかれると、先生はことわれない。こうして、動物はどんどんふえていった。

ある日の夕方、先生が庭のへいにすわってパイプをふかしていると、イタリア人の手まわしオルガンひきが、ひもにつないだサルを連れて通りかかった。先生はそのサルをひと目見ただけで、首輪がきつすぎることに気がついた。しかも、体を洗っていないし、悲しそうにしている。そこで、先生はオルガンひきからサルを取りあげて、代わりに一シリングをわたすと、立ちさるようにいった。オルガンひきはものすごくおこって、サルを返せという。ところが先生は、もしよそへ行かないのなら、おまえの鼻にパンチをくらわすぞ、といった。ジョン・ドリトル先生は、背はそれほど高くなかったけれど、けんかは強いのだ。すると、オルガンひきは先生をののしりながら行ってしまった。こうしてサルは、ドリトル先生といっしょに、いごこちのいい家でくらすことになった。先生の家のほかの動物たちは、サルに〝チーチー〟という名前をつけた。サル

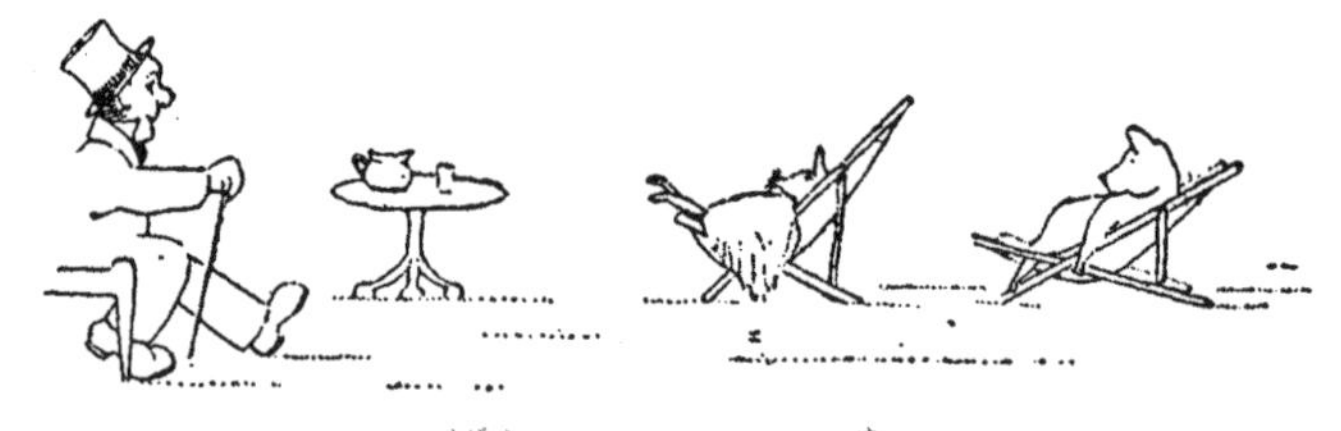

みんなは芝生のいすにすわって過ごした。

の言葉で〝元気〟という意味だ。

また別の日、サーカスがパドルビーにきたとき、歯がいたくなったワニが夜中にサーカスをぬけだして、先生の家の庭にやってきた。先生はワニ語で話しかけてなかに招きいれ、歯を治してやった。ところが、ワニは先生のすてきな家を見て――いろいろな場所に、いろいろな動物がいた――自分もいっしょにくらしたいといいだした。そして、庭のすみの池に住んでもいいだろうか、魚は食べないようにするから、という。サーカスの団員たちがワニを連れもどしにくると、ワニは大あばれして団員たちをこわがらせ、追いかえしてしまった。しかし、先生の家に住んでいる動物の前では、ワニはいつでも子ネコのようにおとなしかった。

ところが町のおばあさんたちは、大切なわんちゃんをドリトル先生のところに連れていくのをこわがるようになった。ワニがいるからだ。それに、農家の人も、子ヒツジや病気の子ウシを診察に連れていったらワニに食べられてしまうのではないかと心配した。そこで、ドリトル先生はワニに、サーカスに帰りなさいといった。ところが、ワニは大つぶのなみだをぽろぽろこぼして、このまま置いてくださいと一生けん命たのんでくる。ドリトル先生はワニを追いだせなくなってしまった。

すると、妹のセアラがやってきて、いった。「兄さん、あれを追いだして。今じゃ、農家の人もお年寄りのご婦人も、こわがって動物をみせにこなくなったじゃない。やっとお金が貯まりはじめたのに。うちは破産しちゃうわ。もう、がまんできない。兄さんの家政婦なんて、もうやめます。もし兄さんがあのアリゲーター（あごの短いワニ）を追いださないならね」

「アリゲーターじゃない」先生はいった。「クロコダイル（あごの長いワニ）だ」

「どっちだっていい。ベッドの下にいるのを見ると、ぞっとするわ。家のなかに入れないで」

「いや、ワニは約束してくれたんだ。ぜったいかみつかないって。サーカスはきらいだそうだ。かといって、ワニをふるさとのアフリカに帰してやるお金はない。だれのじゃまにもなってないし、とてもおとなしいじゃないか。つべこべいうな」

「ワニを飼うのはいやだっていってるの。リノリウムのゆかをだめにしてしまうんだもの。今すぐあのワニを追いだしてくれないなら、わたしは――わたしはこのうちを出て、けっこんするから！」

「ああ、そうか。けっこんしたらいい。しかたない」先生はそういって帽子を取ると、庭に出ていった。

セアラ・ドリトルは荷物をまとめて出ていった。こうして、先生には動物の家族しかいなくなってしまった。

それからいくらもたたないうちに、先生は、前にびんぼうだったときより、もっとびんぼうになった。みんなにいきわたるだけの食べ物を手にいれて、家事をこなさなければならない。それなのに、服をつくろってくれる人はいないし、肉屋にはらうお金のあてもない。生活はとても苦しくなりはじめている。しかし、先生は気にしなかった。

「お金っていうのは、めんどうだな」先生は、よくそういった。「人間はお金なんて発明しなかったら、もっと楽に生きられたのに。お金がなんだ。幸せならそれでいいじゃないか」

　ところが、しばらくすると、動物たちのほうが心配しはじめた。そこで、ある晩、先生が台所のだんろの前でいすにすわってねむっているあいだに、動物たちは小声で話し合いを始めた。そして、算数のとくいなフクロウのトートーが計算をしてみると、あと一週間分しかお金がないことがわかった。それも、みんなが食事を一日一回にしたとしての話だ。

　すると、オウムのポリネシアがいった。「あたしたち、自分たちで家事をしなきゃね。せめて、それくらいはできるでしょ。だいいち、あたしたちのせいですよ、先生がひとりぼっちで、びんぼうになったのは」

　みんなは、そのとおりだと思った。そこで、サルのチーチーは料理とつくろいもの、イヌのジップはゆかふき、アヒルのダブダブははたきかけとベッドメイク、フクロウのトートーは家計簿つけ、子ブタのガブガブは庭の手入れをすることになった。オウムのポリネシアはせんたくと、家事のリーダーをひきうけた。いちばん年上だったからだ。

あるばん、先生(せんせい)はいすにすわってねむっていた。

もちろん、はじめのうち、なれない仕事はとても大変だった。ただ、サルのチーチーだけは、人間のような手があったので人間のように仕事ができた。しばらくすると、みんなも少しずつなれてきた。見ていておもしろかったのは、イヌのジップが、しっぽに布をくりつけたのをほうきの代わりにして、ゆかをはくところだ。みんなすぐに家事が上手になったので、先生はそれを見て、家がこんなにきれいできちんとしているのは、はじめてだよ、といった。

こうして、しばらくはうまくいっていた。しかし、お金がないと、やっぱりとても大変だ。

そこで動物たちは、庭の門の外に野菜や花を売る台を作って、通りがかりの人にダイコンやバラを売った。

それでもお金は足りなくて、いろんなもののしはらいは、できそうになかった。ところが、先生は気にしない。オウムのポリネシアが先生のところに行って、魚屋が魚を売ってくれなくなりますというと、先生はこういった。

「だいじょうぶだ。ニワトリがたまごを産んで、ウシがミルクを出してくれれば、オムレツやミルクプリンが作れるから。それに、庭にはまだ野菜がたくさんある。冬はもっと先だ。さわがなくていい。それじゃセアラと同じじゃないか。セアラなら大さわぎだ。さて、セアラはどうしているだろう。ほんとによくできたやつだから。まあ、考え方によっては、だが。いや、まったく！」

ところが、その年はいつもより早く雪がふりはじめた。足の悪い年寄りのウマが、町はずれの森からたくさんたき木を運んできてくれたから、台所はとてもあたたかかったけれど、庭の野菜はもうほとんど食べつくして、残りは雪にうもれてしまった。動物たちはみんな、ひどくおなかがすいていた。

4 アフリカからの知らせ

その年の冬はとても寒かった。十二月のある夜、みんなは台所のだんろのまわりにすわって、先生に本を読んでもらっていた。先生が動物の言葉で書いた本だ。するとゝとつぜん、フクロウのトートーがいった。

「しっ！　外からなにかきこえないか？」

みんなは耳をすました。だれかが走ってくる足音がする。ドアがばたんと開いて、サルのチーチーが飛びこんできた。はあはあと息を切らしている。

「先生！」チーチーが大声でいった。「たった今、アフリカにいるぼくのいとこから伝言がとどきました。むこうのサルのあいだで、おそろしい病気がはやっています。みんなその病気にかかって――つぎつぎに死んでいるそうです。先生のうわさをきいて、アフリカにきて病気を治してほしいといっています」

「だれが伝言を運んでくれたんだい？」先生はめがねをはずして本を置いた。

「ツバメです」チーチーはいった。「外の雨水をためる樽にとまっています」

「なかに入れて、火のそばに連れておいで」先生はいった。「寒くてこごえているだろう。仲間のツバメは六週間も前に南へ行ってしまったというのに！」

連れてこられたツバメは、小さくなってふるえていた。はじめは少しおびえていたけれど、しばらくして体が温まると、マントルピースのはしにとまって話を始めた。

ツバメが話しおわると、先生はいった。

「もちろんアフリカには行ってあげたい——こっちは寒いから、よけいにね。しかし、きっぷを買うお金があるかどうか。貯金箱を取ってくれ、チーチー」

そこで、チーチーは食器だなを登って、いちばん上のたなに置いてある貯金箱を下ろしてきた。

なかは空っぽ——一ペニーもない！

「たしか、二ペンス残(のこ)っていたはずなんだが」

「たしか、二ペンス残(のこ)っていたはずなんだが」先生はいった。

「残(のこ)ってましたとも」フクロウのトートーがいった。「でも先生は、アナグマの赤ちゃんに歯(は)が生えたときに、おもちゃのガラガラを買っておやりになったじゃないですか」

「そうだったか？」先生はいった。「やれ、やれ！お金っていうのはめんどうだな、ほんとうに！まあ、いい。たぶん、港(みなと)に行けばアフリカまで行く船が借(か)りられるだろう。船乗(ふなの)りをひとり知っている。赤(あか)ん坊(ぼう)がはしかにかかったとき、うちにきたんだ。もしかしたら船をかしてくれるかもしれない――赤(あか)ん坊(ぼう)は元気になったからね」

そこで、次(つぎ)の朝早く、先生は港(みなと)へ出かけた。そして帰ってくると、動物たちに、うまくいったよといった。船乗りが船をかしてくれることになったのだ。

それをきくと、ワニと、サルのチーチーと、オウムのポリネシアは、大よろこびして歌いだした。ふるさとのアフリカに帰れるのだ。すると、先生はいった。

「連れていけるのは、きみたち三びきと――イヌのジップ、アヒルのダブダブ、子ブタのガブガブ、それからフクロウのトートーだ。残りのみんなは、たとえば、ヤマネやハタネズミやコウモリなんかは、自分のうちに帰ってもらおう。わたしたちがもどってくるまで、もといた場所でくらしてもらう。だいたいが冬眠する動物だから、だいじょうぶだと思う。それに、アフリカには行かないほうがいいだろう」

そこで、オウムのポリネシアは、むかし船の旅をしていたことがあったので、なにを積んでいったらいいかを先生に教えはじめた。

「船旅用のかたいビスケットが、たくさんいります」ポリネシアがいった。「〝カンパン〟っていうんですけどね。それから、牛肉のかんづめも――それと、錨をひとつ」

「船には錨が積んであるはずだが」先生がいった。

「念のためです」ポリネシアはいった。「とても大切なものですから。錨がないと、船をとめておけません。それから、鐘もいりますね」

「なぜだい？」先生がきいた。

「時間を知らせるためです」ポリネシアがいった。「三十分おきに鳴らすんですよ。そうすれば今何時かわかりますからね。あと、ロープをたくさん――船の旅では、なにかと役に立つんです」

それからみんなは、どうやってお金を手に入れて、必要な物を買いそろえようかと考えはじめた。

「ああ、いやになる！　また、お金か」先生が大きな声でいった。「まいったな！ありがたいことに、アフリカに行ったらお金はなくていいんだ！　店の主人のところに行って、帰ってくるまでお金をはらうのを待ってくれないか、きいてこよう――いや、わたしの代わりに船乗りに行ってもらおう」

そこで、船乗りは買い物に行った。そして、しばらくすると、必要な物を持ってもどってきた。

それから、動物たちは荷造りをした。水道管がこおらないように水道をとめて、雨戸を閉めた。戸じまりをして、かぎは馬小屋に住んでいる年寄りのウマにあずけた。干し草置き場も見にいって、冬を越せるほど干し草がたっぷりあるのをたしかめてから、みんなで荷物を持って港に行き、船に乗りこんだ。

港には、ネコのえさ売りが見おくりにきていた。出発のおいわいに、大きなスエット・プディング（バターのかわりにウシのあぶらをつかった、むして作るケーキ）を持ってきている。外国ではスエット・プディングは手に入らないときいたんでね、とえさ売りはいった。

船に乗るとすぐに、子ブタのガブガブがベッドはどこかときいた。ちょうど夕方の四時で、昼寝をしたかったのだ。そこで、ポリネシアはガブガブを連れて階段を下り、船室に入ってベッドを見せた。ベッドの上にはまたベッドがあって、まるでかべぎわに置いた本だなのようになっている。

「あれ、こんなのベッドじゃない！」ガブガブが大声でいった。「たなじゃないか！」

「船のベッドとはこういうものです」ポリネシアはいった。「たなではありません。よじ登って、なかに入ってねむるんです。〝寝だな〟っていうんですよ」

「まだ、寝なくていいや」ガブガブはいった。「すごくわくわくしてるから。上にもどって、出発するところを見たいな」

「そうですね、はじめての旅行ですから。少したてば、船のくらしにもなれますよ」それからポリネシアは、こんな歌を口ずさみながら船の階段を上がっていった。

黒海、紅海、見てきたぞ
（ホ）ワイト島も、ひとめぐり
黄河をながめて　ひとやすみ
オレンジ川で　夜を明かし
グリーンランドを　あとにして

青い海原　どこまでも
色がいろいろ、もうたくさん
ジェイン、おまえに会いにいく

いざ出発というときになって、先生は、もどらないといけない、といいだした。船乗りにアフリカへの行き方をきいてこなければ、というのだ。

しかし、ツバメが、わたしはアフリカへ何度も行ったことがあるから案内しましょう、といってくれた。

そこで、ドリトル先生はチーチーに錨を上げるようにいった。こうして、船の旅が始まった。

こうして、船の旅(たび)が始(はじ)まった。

5
大航海

それから、まるまる六週間、みんなは船の旅を続けた。船は、うねる波のあいだを、案内のツバメのあとを追って進んでいく。夜になると、ツバメが小さなランタンを持って飛んだので、暗やみでもツバメを見うしなわずにすんだ。近くを通る船からその光を見た人たちは、あれはきっと流れ星だ、といった。

南へ行けば行くほど、あたたかくなっていった。ポリネシアとチーチーとワニは、暑い太陽に大よろこびだ。三びきはわらいながら、船の上をあっちに行ったりこっちにきたりして、アフリカが見えてこないかと船べりから身を乗りだしたりしている。

ところが、子ブタのガブガブと、イヌのジップと、フクロウのトートーは、この暑(あつ)さではなにもできない。船尾(せんび)にある大きな樽(たる)のかげにすわって、舌(した)をだらりとたらして、レモネードを飲(の)んでいた。

アヒルのダブダブは、体を冷(ひ)やそうと海に飛(と)びこみ、船の後ろをついて泳(およ)いだ。たまに、頭のてっぺんが熱(あつ)くなってがまんできなくなると、船の下にもぐって、反対側(はんたいがわ)にうきあがったりした。ついでに、火曜日と金曜日にはニシンをつかまえた。みんなでニシンを食べれば、牛肉が長持(ながも)ちするからだ。

赤道が近くなってきたころ、トビウオがやってくるのが見えた。トビウオはポリネシアに、これはドリトル先生の船か、ときいた。ポリネシアがそうだと答えると、トビウオは、よかった、アフリカのサルたちは先生がこないんじゃないかと心配(しんぱい)しはじめている、といった。ポリネシアが、あとどれくらいで着(つ)くのかたずねると、トビウオは、アフリカの海岸(かいがん)まであとたった九十キロだ、と教えてくれた。

また、あるとき、ネズミイルカの群(む)れが波(なみ)のあいだを飛(と)びはねながらやってきた。そして同じようにポリネシアに、この船はあの有名(ゆうめい)なお医者(いしゃ)さんの船ですかとたずねた。そうだとわかると今度は、先生はなにかほしい物がありませんか、ときいてきた。

そこで、ポリネシアはいった。「ええ。タマネギがもうないのよ」

「ここからそう遠くないところに島があるんです」ネズミイルカはいった。「そこに野生のタマネギがどっさりできています。このまま先に進んでいてください――ぼくたちは、タマネギをとってから追いかけます」

ネズミイルカは全速力で海を泳いでいくと、しばらくしてもどってきた。後ろから船を追いかけてくる。イルカたちは、海草で作った大きなあみでタマネギを引っ張りながら、波のあいだを泳いでいた。

次の日の夕方、太陽がしずむころ、先生がいった。

「望遠鏡を持ってきてくれ、チーチー。旅はもうすぐ終わる。あと少しすれば、アフリカの海岸が見えるはずだ」

三十分くらいたつと、先生のいったとおり、前方に陸のようなものが見えてきた。ただ、あたりが暗くなりかけていて、はっきりとはわからない。

やがて、はげしいあらしになった。かみなりが鳴り、稲光が走る。風がうなり、雨がはげしく打ちつける。船は大きな波をいくつもかぶった。

とつぜん、どすん！　と大きな音がして、船が動かなくなり、大きくかたむいた。

「どうした？」先生が船室から上がってきた。

「さあ、どうしたんでしょ」ポリネシアがいった。「座礁したかもしれませんね。ダブダブに船の外側を見にいってもらいましょ」

ダブダブは波の下にもぐっていった。やがて、水から顔を出していった。岩に乗りあげたせいで底に大きな穴が開いていて、そこから水が入ってきて、しずみかけているんです。

「アフリカにぶつかったんだ」先生はいった。「やれ、やれ！　さて、岸まで泳ぐしかないいな」

ところが、チーチーとガブガブは泳ぎ方を知らない。

「ロープを取って！」ポリネシアがいった。「なにかと役に立つ、といったでしょ。

「アフリカにぶつかったんだ」

ダブダブはどこ？ ちょっときて。このロープのはしを持って岸まで飛んでちょうだい。ヤシの木に結びつけるの。反対側のはしは船に結んで。そうすれば、泳げない仲間はロープにつかまって岸まで行ける。〝命づな〟っていうんですよ」

こうして、みんなは無事に岸までたどりついた。泳いだ動物もいれば、飛んだ動物もいた。ロープにつかまってきた動物が、先生のトランクと往診かばんを運んできた。

船は見るもむざんなすがただった。底に大きな穴が開いている。そのうち船は、打ちよせる荒い波のせいで岩の上でこなごなになり、波にさらわれてしまった。

みんなは、がけの上にかわいた洞穴を見つけて、そこににげこむと、あらしが通り過ぎるのをまった。

次の朝、太陽がのぼってくると、みんなは砂浜に下りて体をかわかした。

「なつかしいアフリカ！」ポリネシアはため息をついた。「帰ってきたのね。考えてみてちょうだい——あたしがここをはなれてから、明日で百六十九年！　でも、ちっとも変わってない！　このヤシの木も、この赤い土も、この黒いアリも、みんなそのまま！　やっぱり、ふるさとほど、いいところはないわ！」

みんなは、ポリネシアの目になみだがうかんでいるのに気がついた——ポリネシアはふるさとに帰ってこられて、うれしくてたまらなかったのだ。

しばらくすると、先生は帽子がなくなっているのに気がついた。あらしの最中に、風で海にふき飛ばされてしまったらしい。そこで、アヒルのダブダブがさがしに出かけた。しばらく飛んでいくと、岸から遠くはなれた海の上に、おもちゃの舟のようにういている帽子が見えた。

　ダブダブは空からまいおりて、帽子をくわえようとした。そのとき、白ネズミが一ぴき、ふるえながら帽子のなかにうずくまっているのを見つけた。

「ここで、なにしてるの？」ダブダブがきいた。「パドルビーに残るようにいわれたでしょう」

「置いてきぼりなんか、やだよ」白ネズミがいった。「アフリカがどんなところか、見てみたかったんだもん――親戚がいるんだ。だから荷物のなかにかくれて、カンパンといっしょに船に積んでもらった。船がしずんだときは、ほんとこわかった。だって、ぼく、あんまり泳げないから。がんばって泳いだけど、すぐにつかれちゃった。しずんじゃいそうになったとき、ちょうど先生の帽子が流れてきたんだ。それで、ぼく、なかに入った。だっておぼれたくなかったんだもん」

　そこで、ダブダブはネズミごと帽子をくわえると、ドリトル先生のいる浜辺にもどった。みんなが帽子のまわりに集まってきた。

「こんなふうに、こっそり船に乗ることをね、〝密航〟っていうんですよ」ポリネシアがいった。

　みんなは、トランクのなかにすきまを作って、旅のあいだ、白ネズミがいごこちよく過ごせるようにしてやった。

　そのとき、とつぜん、サルのチーチーがいった。

「しっ！　ジャングルから足音がする！」

　みんなおしゃべりをやめて耳をすました。しばらくすると、男の人が森から現れて、ここでなにをしているのだ、ときいてきた。

「ぼく、なかに入った。だっておぼれたくなかったんだもん」

「わたしは、ジョン・ドリトル――医学博士だ」先生はいった。「アフリカにきたのは、病気のサルたちを治してほしいとたのまれたからだ」

「全員、王さまにごあいさつにこい」男がいった。

「どこの王さまです？」先生がきいた。先生は時間をむだにしたくなかった。

「ジョリギンキ王国の王さまだ」男が答えた。「このあたりの土地はすべて、王さまのものだ。そして、よそ者はみんな、王さまの前に連れていくことになっている。ついてこい」

そこでみんなは荷物をまとめて、男のあとについてジャングルのなかへ入っていった。

6 ポリネシアと王さま

緑の生いしげる森の細い道を歩いていくと、やがて広々とした場所に出た。目の前に宮殿がある。

ここには、王さまと、お妃さまのアーミントルード、息子のバンポ王子が住んでいた。王子はサケをとりに川へ行っていた。しかし、王さまとお妃さまは宮殿の庭に置かれたパラソルの下で、いすにすわっていた。お妃さまのアーミントルードはお昼寝中だ。

先生が宮殿に着くと、王さまが、この国になんの用だとたずねた。そこで、先生はアフリカにやってきたわけを話した。

「わたしの国を通ってはならん」王さまはいった。「何年も前になるが、船でこの国にやってきた旅人がいてな。わたしはとても親切にしてやった。だが、その男は、地面に穴を掘って金を取り、ゾウをぜんぶ殺してぞうげを取ったあげく、こっそりまた船に乗って出ていった。〝ありがとう〟もいわずにな。もう二度と、よそ者がジョリギンキの国を通ることはゆるさん」

それから、王さまは、そばにひかえていた家来たちにいった。「この医者を連れていけ——動物もいっしょだ。いちばんがんじょうな、ろうやに閉じこめてしまえ」

そこで、家来たちが六人で先生と仲間の動物たちを引きたてていき、石の地下ろうに閉じこめてしまった。地下ろうには小さな窓がひとつ、上のほうにあるだけで、そこには鉄格子がはまっている。とびらはがんじょうで分厚かった。

みんなはとても悲しくなった。子ブタのガブガブは大声で泣きはじめた。チーチーに、うるさい、泣きやまないとひっぱたくぞといわれてようやく静かになった。

「みんないるかい？」あたりの暗さになれてくると、先生がきいた。

「はい、たぶん」アヒルのダブダブはそういって、仲間(なかま)を数えはじめた。

「ポリネシアはどこだ？」ワニがきいた。「見あたらないぞ」

「ほんとうか？」先生がいった。「もう一度(いちど)、さがしてみろ。ポリネシア！　ポリネシア！　どこだい？」

「にげたんじゃないかな」ワニがうなった。「まったく、あいつらしい！　おれたちがこまったことになったとたん、ジャングルにこっそりにげこんだんだ」

「あたしはそんなことしませんよ」オウムのポリネシアがそういいながら、先生の上着(うわぎ)のおしりについている大きなポケットから出てきた。「いいですか。あたしは小さいから、あの窓(まど)の鉄格子(てつごうし)をぬけられるんです。だから心配(しんぱい)だったんですよ。あいつらがあたしを、ろうやじゃなくて鳥かごに入れやしないかってね。それで、王さまがべらべらしゃべっているあいだに、先生のポケットにかくれたんです――それで、ほら、このとおり！　こういうのを〝策略(さくりゃく)〟っていうんですよ」

ポリネシアはそういって、くちばしで自分の羽を整(ととの)えた。

「いや、おどろいた！」先生がいった。「しかし、よかったよ、おまえの上にすわらなくて」

「ちょっときいてください」ポリネシアはいった。「今晩、暗くなったらすぐに、あたしはあの窓の格子からぬけだして、宮殿に飛んでいきます。まあ、見ててください。王さまに、あたしたちみんなをろうやから出すようにいわせますから」

「ふん、おまえなんかになにができんだよ?」子ブタのガブガブがいった。鼻を上にむけて、また泣きだした。「ただの鳥じゃないか!」

「そのとおり」ポリネシアはいった。「でも、わすれてもらっちゃこまりますね。あたしはただの鳥だけど、人間みたいにしゃべれるんです——それにね、あの人たちのことは、よおく知ってるんです」

その夜、月がヤシの木の上でかがやきだし、王さまの家来がみんなねむりについたころ、ポリネシアは窓の格子をすりぬけて宮殿へ飛んでいった。宮殿の食料室は、先週、テニスボールが当たったせいで窓ガラスがわれていた。ポリネシアは窓ガラスの穴から、ひょいとなかに入った。

バンポ王子の寝息が宮殿の奥の寝室からきこえる。ポリネシアは、しのび足で階段を上がり、王さまの寝室までやってきた。そして、そっとドアを開けて、なかをのぞいた。

お妃さまは、その夜、いとこの家のダンスパーティーに出かけていた。しかし、王さまはベッドでぐっすりとねむっている。

ポリネシアはこっそり寝室に入ると、ベッドの下にもぐりこんだ。それから、こほん、とせきばらいをした。ドリトル先生のまねだ。ポリネシアはいろいろな人の声まねができるのだ。

王さまは目を開けて、ねむたそうにいった。「おまえか？　アーミントルード？」（王さまは、お妃さまがダンスパーティーから帰ってきたと思ったのだ。）

ポリネシアはもう一度せきばらいをした。大きな音で、男の人のように。すると、王さまは起きあがった。すっかり目が覚めていた。「だれだ？」

「医者のドリトルだ」ポリネシアはいった。先生のいつものいい方だ。

「わたしの寝室でなにをしている？」王さまはどなった。「さては、ろうやからにげだしたな！　どこだ？　どこにいる？」

しかし、ポリネシアはわらい声を上げただけだった。おなかの底から楽しそうにわらい続けている。先生のわらい方にそっくりだ。

「わらうな。すぐに出てこい。すがたを見せろ」王さまはいった。

「おろか者め！」ポリネシアは答えた。「それが医学博士ジョン・ドリトルにものをいう態度か？　世界でいちばんすばらしい医者だぞ。見えなくてあたりまえだ。すがたを消しているからな。わたしにできないことなど、なにもない。よくきけ。今夜はおまえに警告しにきた。わたしとわたしの仲間がこの王国を通れるようにしないと、おまえとおまえの国の人たちをサルと同じ病気にしてしまうぞ。わたしは人の病気を治せるが、人を病気にすることもできるのだ――この小指を立てるだけでな。今すぐ兵士に命令して、ろうやのとびらを開けさせろ。さもなければ、ジョリギンキの丘に朝日がのぼる前に、おまえをおたふくかぜにしてやる」

王さまはがたがたふるえだした。

「先生」王さまは悲鳴をあげた。「いうとおりにする。小指を立てないでくれ、たのむ！」そしてベッドを飛びだすと、兵士たちのところにかけていき、ろうやのとびらを開けるように命じた。

王さまが行ってしまうとすぐ、ポリネシアは階段をこっそり下りて、食料室の窓から宮殿の外に出た。

いっぽう、お妃さまは、宮殿のうら口のかけ金をはずして、なかに入ろうとしていた。ふと見ると、われた窓ガラスの穴からオウムが外に出ていく。お妃さまは、寝室にもどってきた王さまに、自分が見たことを話した。

王さまはだまされたと知って、かんかんだ。大急ぎでろうやにむかった。

しかし、間に合わなかった。とびらは開けっぱなし。ろうやは空っぽ。先生と動物たちは、とっくににげたあとだった。

7 サルの橋

お妃さまのアーミントルードは、その夜ほどおそろしい王さまを、これまで見たことがなかった。かんかんにおこって歯ぎしりしては、みんなをばかよばわりする。宮殿のネコに歯ブラシを投げつける。それから、パジャマのまま走りまわって宮殿じゅうの兵士を起こすと、ジャングルに行ってドリトルをつかまえてこい、といった。召し使いも全員ジャングルに行かせた――コックも庭師も床屋もバンポ王子の家庭教師も、ひとり残らず――お妃さままで、きつい靴でダンスをしてつかれていたのに、兵士たちを手伝うようにと外に出された。

そのころ、先生と動物たちは、ジャングルのなかをサルの国へ全力で走っていた。

子ブタのガブガブは足が短いので、すぐにつかれてしまった。先生はガブガブをだいていくことにした――そのせいで、みんなはもっと大変になった。トランクと往診かばんも運んでいたからだ。

ジョリギンキ国の王さまは、家来たちがかんたんに先生たちを見つけると考えていた。先生はこの国がはじめてだから、道がわからないだろうと思ったのだ。ところが王さまはまちがっていた。サルのチーチーはジャングルのなかのいろいろな道を知っている。王さまの家来よりずっとよく知っているのだ。チーチーは、先生と仲間を連れて、ジャングルの奥に入っていった。人間が足をふみいれたことのない場所だ。そして先生たちを岩山に生えている木の洞に案内して、そこにかくれるようにいった。

「しばらく、ここにいたほうがいい」チーチーがいった。「そのうち、家来たちは宮殿に帰ってねむります。そしたら、サルの国へ出発しましょう」

そこでみんなは、その場で夜を明かした。

ときどき、王さまの家来がジャングルをさがしまわる音やしゃべる声が、どこからかきこえていた。しかし、先生たちは安全だった。この洞のことはチーチー以外――ほかのサルたちも――知らなかったからだ。

やがて、朝の光が、しげった葉のあいだから差しこんできた。お妃さまのアーミントルードが、つかれた声で話しているのがきこえる。「これ以上さがしてもむだです。宮殿にもどって少し休んだほうがいいでしょう」

家来たちは宮殿に帰っていった。チーチーは、先生と仲間を連れて洞から出ると、さっそくサルの国をめざして出発した。

長い長い道のりで、つかれきってしまうこともよくあった――とくに子ブタのガブガブは、へとへとだ。ガブガブが泣くたびに、みんなは木からココナッツの実を取ってミルクを飲ませてやる。ココナッツミルクはガブガブのお気に入りなのだ。

食べ物や飲み物は、いつでもたくさんあった。チーチーとポリネシアが、ジャングルのフルーツや野菜のことをよく知っていて、どこに行けば見つけられるかも、わかっているからだ――ナツメヤシの実、イチジク、ピーナッツ、ショウガ、ヤムイモ、いろんなものがある。レモネードが飲みたいときは、野生のオレンジをしぼったところに、木の洞のハチの巣からとったハチミツを入れて、あまくすればいい。食べたいものはほとんどなんでも、チーチーとポリネシアがさがしてきてくれたし、ないときは代わりのものを持ってきてくれた。

夜はヤシの葉のテントでねむった。枯れ草をたっぷり敷くから、ベッドはいつもふかふかだ。何日かたつと、みんなはたくさん歩くのになれてきて、あまりつかれなくなったので、楽しく旅ができるようになった。

それでも、やっぱり、ゆっくり休める夜はうれしい。先生が木の枝で火をおこしてくれたので、みんなは夕食を食べおわるとたき火のまわりに輪になってすわり、ポリネシアが歌う海の歌や、チーチーが話すジャングルの話に耳をかたむけた。

チーチーの話は、どれもとてもおもしろかった。サルには自分たちの歴史を書いた本がなかった。ドリトル先生に本を書いてもらう前だったからだ。だからサルは、起こった出来事をすべて、自分の子どもに話して伝えていた。チーチーは、おばあさんからきいた話をたくさんした。むかしの、むかしの、むかしの話、ノアの大洪水のずっと前——そのころ、人間はクマの毛皮を着て岩の洞穴に住んでいた。ヒツジの肉を生で食べていたが、それは料理というものを知らなかったからだ——人間はまだ火を知らなかった。チーチーは、ものすごく大きなマンモスやトカゲの話もした。トカゲは体が列車くらい長かったという。大むかしには、そういう生き物が山を歩きまわり、木のてっぺんをかじっていたそうだ。ときどき、先生たちはチーチーの話に夢中になってしまい、話が終わってみると、たき火が消えていた、ということもよくあった。そんなとき、みんなは急いでたき木を集めて、また火をおこすのだった。

いっぽう、宮殿にもどった王さまの家来たちは、先生は見つからなかったと報告した。王さまは家来たちに、もう一度ジャングルに行くように命じた。そして先生をつかまえるまで帰ってくるなといった。だから、先生と仲間の動物たちはサルの国をめざして歩きながら、なんの用心もしていなかったが、じつは家来たちはずっと追いかけてきていたのだ。もし、チーチーがこのことを知っていたら、きっとまたみんなでどこかにかくれたはずだ。しかしチーチーは、そんなことになっているとは、ちっとも知らなかった。

ある日、チーチーは高い岩に登って、そこからジャングルを見わたした。そして、岩から下りてくると、サルの国まであとちょっとです、もうすぐ着きます、といった。

チーチーがいったとおりだったらしい。その日の夕方、先生たちは、チーチーのいとこや、ほかのたくさんのサルに出くわした。まだ病気にかかっていないサルたちが、沼のほとりの木にこしかけて、先生がくるのを待っていたのだ。そして、有名な先生がほんとうにきてくれたのを見て、みんな大さわぎになった。うれしそうに声を上げ、葉っぱをゆらし、枝から枝へ飛びうつって、先生をかんげいした。

サルたちは、先生のかばんもトランクも、とにかくなんでも運びたがった――大きなサルが子ブタのガブガブまで運んでくれた。ガブガブがまたつかれてしまったからだ。二ひきのサルがみんなより先に、急いで帰っていった。病気のサルたちに、えらい先生がとうとういらっしゃったと、知らせにいったのだ。

ところが、先生を追いかけている王さまの家来にも、サルのよろこぶ声がきこえていた。やっと居場所がわかった。家来たちは先生をつかまえようと急いだ。ガブガブを運んでいた大ザルは、みんなのあとをのんびり歩いていた。ところが、ふと見ると、王さまの軍の隊長が木のあいだをそっと近づいてくる。大ザルはあわてて先生のところに行くと、走ってにげてください、といった。

みんなは走りだした。こんなに必死に走ったことはない。王さまの家来も、先生たちのあとを追って走りだす。なかでも隊長はものすごい勢いだ。

そのうち、先生が自分の往診かばんにつまずいて、泥のなかに転んでしまった。今度こそ先生をつかまえてやる。隊長は、そう思った。

ところが、隊長の耳はとても長かった——そして、かみの毛はとても短かった。だから、先生に飛びかかろうとしたときに、片方の耳が木にひっかかってしまった。家来たちはしかたなく先生を追いかけるのをやめて、隊長を助けることにした。

そのすきに、先生は立ちあがった。みんなはまた走りだした。走りに走った。
チーチーがさけぶ。

「だいじょうぶ！　もうちょっと！」

ところが、サルの国の前には深い谷があった。はるか下には川が流れている。ジョリギンキ王国はここで終わりだ。そしてサルの国は谷のむこう側――川をわたった先にある。

イヌのジップは谷のふちに立って下を見おろした。まっさかさまに落ちてしまいそうながけになっている。

「うへぇ！　どうやってわたるんだ？」

「もう、やだ！」子ブタのガブガブがいった。「王さまの家来がすぐそこまできてるのに。ほら、見て！　またろうやに入れられちゃうよ」ガブガブはめそめそ泣きはじめた。

すると、大ザルが、運んでいたガブガブを地面に下ろして、ほかのサルにいった。

「みんな、橋だ！ 急げ！ 橋を作れ！ 時間がないぞ。耳が木からはずせたんだ。隊長がシカみたいに走ってくる。がんばれ！ 橋だ！ 橋を作るんだ！」

先生はふしぎに思った。どうやって橋を作るつもりなのだろう。先生は、どこかに板をかくしてあるのかと、あたりを見まわした。

ところが、もう一度谷のほうを見ると、なんと、川に橋がかかってわたれるようになっている。サルの橋だ！ 先生がよそ見をしているあいだに、サルたちは――目にもとまらない早さで――おたがいの手や足をつかんで橋になっていた。

大ザルが先生をよんだ。「わたってください！ わたって！ みんな、急いで！」

子ブタのガブガブがおっかなびっくりわたった。橋はとても細いし、川のずっと上、目もくらみそうなくらい高いところにある。ガブガブが無事にわたりおえると、ほかのみんなもそれに続いた。

ジョン・ドリトル先生が最後にわたった。先生がわたりおわったちょうどそのとき、王さまの家来たちが、がけまでやってきた。

家来たちはこぶしをふりあげ、どなり散らした。間に合わなかったとわかったからだ。先生と仲間の動物たちは無事にサルの国ににげのびて、橋もサルの国のほうへ引きあげられてしまった。

すると、チーチーが先生のほうをむいていった。

「有名なたんけん家や白いひげを生やした動物学者が、今までに何人もやってきては、ジャングルに何週間もかくれて、ぼくたちのさっきの技を見ようとしました。でも、ぼくたちは今まで一度だって、

ジョン・ドリトル先生が最後にわたった。

よそ者にあの技を見せたりしなかった。有名な〝サルの橋〟をごらんになった人間は、先生が最初です」

ドリトル先生はとてもうれしくなった。

8 ライオンのボス

ジョン・ドリトル先生は、目がまわるほどいそがしくなった。何百、何千というサルが病気になっていた――ゴリラ、オランウータン、チンパンジー、マントヒヒ、マーモセット、灰色ザル、赤ザル――病気はいろいろな種類のサルに広がっていた。そして、死んでしまったサルもたくさんいた。

先生が最初にしたのは、病気のサルと元気なサルを分けることだった。それから、チーチーとそのいとこにたのんで、草で小さな家を作ってもらった。次に、元気なサルを集めて、病気にならないように注射をした。

それから、三日三晩、ジャングルからも、谷からも、丘からも、草でできた小さな家をめざして、サルがぞくぞくとやってきた。先生は朝から晩まですわったまま、次から次へと注射をしていった。

それが終わると、先生はもうひとつ家を作ってもらった――今度は大きな家だ。ベッドをたくさん用意して、病気のサルをみんなそこに寝かせてやった。

ところが、病気のサルがあんまりたくさんいるので、元気なサルだけでは看病しきれない。そこで先生は、ほかの動物に使いをやった。ライオンやヒョウやレイヨウに、看病の手伝いにきてくれるようにたのんだ。

さて、ライオンのボスはとてもいばり屋だった。やってきたボスは先生の大きな家がベッドでいっぱいなのを見ると、

元気なサルを集めて、予防の注射をした。

「おれは百獣(ひやくじゆう)の王だ。きたないサルどもの看病(かんびよう)なんか手伝(てつだ)えるか」

おこって鼻(はな)を鳴らした。

「おれに手伝(てつだ)えだって？　先生？」ライオンはぎらぎらする目で先生をにらんだ。「手伝(てつだ)えだと？　このおれに？　おれは百獣(ひやくじゆう)の王だ。きたないサルどもの看病(かんびよう)なんか手伝(てつだ)えるか。けっ、こんなやつら、おやつにも食いたくない！」

先生はライオンがとてもおそろしかったけれど、がんばって平気(へいき)なふりをした。

「食べてくれとはいってない」先生はおだやかにいった。「それに、サルたちはきたなくない。今朝(けさ)、全員(ぜんいん)の体を洗(あら)ってやったからね。きみの毛皮(けがわ)こそ、ブラシをかけたほうがいい――ぜったいそうしたほうがいい。いいか、きいてくれ。ライオンだって、いつか病気になることもある。もし今、ほかの動物を助けないと、自分がこまったときにだれも助けてくれなくなる。いばっていると、よくそういう目にあうものだ」

「ライオンがこまったりするものか。ライオンはこまらせるのがとくいなんだ」

ライオンのボスはそういって、鼻を上にむけた。そして、ゆうゆうとジャングルに帰っていった。おれもなかなかうまいことをいうな、と心のなかで思っていた。すると、ヒョウもいばりだして、おれたちも手伝わない、といった。そうなると、こんどはレイヨウが――とてもはずかしがり屋でおくびょうだから、ライオンのように先生に失礼な態度はとれなかったけれど――地面をひづめで引っかいて、へらへらわらいながら、おれたちは看病なんてしたことないから、といった。

先生は、かわいそうに、とてもこまってしまった。看病してくれる動物はどこかにいないだろうか。病気で寝ているサルは何千びきもいるのだ。

さて、ライオンのボスが自分のねぐらにもどってくると、メスライオンのボス、つまりライオンの奥さんが走りでてきた。全身の毛がくしゃくしゃになっている。

「うちの子がごはんを食べないの」奥さんはいった。「どうしたらいいのかしら。きのうの夜からなにも食べてないの」

奥さんは泣きだした。心配で心配で体がふるえている。メスライオンだって、やさしいお母さんに変わりはないのだ。

そこで、ライオンのボスはねぐらに入って子どもたちを見てみた。かわいらしい二ひきの子どもが地面でねむっていて、そのうちの一ぴきがぐったりしているように見える。

そのあとライオンは、先生との話を奥さんにとくいそうに話してきかせた。すると、奥さんはかんかんにおこった。ライオンのボスをねぐらから追いださんばかりだった。

「あんたはいつもいいたい放題なんだから！」奥さんは声を張りあげた。「ここからむこうのインド洋まで、みんな、あのすばらしい人のうわさをしてる。先生はどんな病気でも治せるし、とっても親切で――世界でただひとり、動物の言葉を話せる人間なのよ！　それなのに、こんなときに――うちの赤ちゃんが病気だってときに、先生のごきげんをそこねるなんて！　ほんと、どうしようもないわね！　あんなにすばらしい先生にそんな失礼なことというなんて、ほんとにばか！　あんたなんか――」奥さんは、夫のたてがみを引っ張った。

「すぐに先生のところにもどって！」奥さんがさけぶ。「そして、先生にあやまりなさい。頭の空っぽな、ほかのライオンもみんな連れていって――あと、まぬけなヒョウやレイヨウたちもね。先生のいいつけにはなんでもしたがって。しっかり働きなさい！　そうすれば、先生のごきげんも直って、うちの子をみにきてくれるかもしれない。すぐに行って！　なにをぐずぐずしているの！　父親らしくしなさい！」

　それから、奥さんはとなりに住んでいる別のお母さんライオンのところに行って、思いきりぐちをいった。

　ライオンのボスは、先生のところにもどって、こういった。「あの、ちょっと通りかかったから、のぞいてみようと思ったのだが、手伝いは見つかっただろうか？」

「いや」先生はいった。「まだだ。ほんとうにまいったよ」

「最近、手伝いはなかなか見つからないからな」ライオンがいった。「動物たちはもう働きたくないんだろう。悪く思わないでくれ――それで……まあ、大変そうだから、手伝ってやってもいいぞ、ちょっとくらいなら。そいつらの体を洗うのは、えんりょしとくが。それとな、狩りをするほかのやつらにも手伝いにくるようにいっておいた。ヒョウがもうすぐくるはずだ……おっと、そういえば、うちの子の具合が悪くて。おれは、たいしたことないと思ってるんだが、かみさんが心配してるんだ。今日の夕方、出かけることがあったら、ちょっとみてやってくれないか？」

先生はとてもよろこんだ。ライオンやヒョウやレイヨウやキリンやシマウマが――森や山や草原に住むいろいろな動物が――仕事を手伝いにきてくれたからだ。あんまりたくさん手伝いにきてくれたので、看病が上手な動物にだけ残ってもらって、あとは帰ってもらわなければならないほどだった。

こうして、みるみるうちにサルたちはよくなっていった。一週間たつと、大きな家に置いたベッドの半分が空になった。そして、次の週が終わるころには、最後の一ぴきの病気も治っていた。

ようやく仕事は終わった。先生はとことんつかれていたので、ベッドに入って三日間、寝返りも打たずにねむった。

9 サルの会議

チーチーは、先生の部屋の入り口に立って、先生が起きるまでだれも入れないように番をした。やがて、起きてきた先生は、今からパドルビーに帰らないといけない、とサルたちにいった。

サルたちはびっくりした。先生はこれからずっと、自分たちといっしょにくらしてくれると思っていたからだ。そこで、夜になると、みんなでジャングルに集まって話し合った。

チンパンジーの頭が立ちあがっていった。

「なぜ、あのりっぱな先生は、行っておしまいになるのか？　ここでわれわれとくらすのは、お気に召さないのか？」

だれも答えられなかった。

次に、ゴリラの大将が立ちあがっていった。「みなで先生のところに行って、ここでくらしてくれるようにたのんでみよう。新しい家と、もっと大きなベッドを作って、それから、サルの召し使いをたくさんつけて、のんびりくらしてくださいといってみよう。そうすれば、おそらく、先生は帰りたくなくなるはずだ」

今度は、チーチーが立ちあがった。すると、ほかのサルは口々にささやいた。

「しっ！　ほら！　チーチーだ。遠い旅をしてきたチーチーだ。チーチーがこれから話すよ！」

チーチーはサルたちにこういった。

「みんなきいてくれ。残念だけど、先生に帰らないでくださいっていっても、む

次に、ゴリラの大将が立ちあがった。

ただと思う。先生はパドルビーでお金を借りている。だから、帰ってお金を返さなければいけない、とおっしゃっているんだ」

するとサルたちがたずねた。

「お金って、なんだ?」

そこで、チーチーはみんなに説明した。先生の国では、お金がないとなにも手に入らない。お金がないと、なにもできない――お金がなければ、生きていくのだってむずかしい。

すると、こんな質問をするサルもいた。

「だけど、食べたり飲んだりするのに、お金をはらうことないよね?」

チーチーは首をふってこういった。「ぼくもオルガンひきといっしょにいたころは、子どもたちにお金をくれといっていたんだ」

チンパンジーの頭は、オランウータンの長老のほうをむいていった。ふたりは親戚だった。「やはり人間というのはおかしな動物だ! そんな場所でだれがくらしたいと思う? いや、まったく、あきれたものだ!」

するとチーチーがいった。「ぼくたちがここにくることにしたとき、海をわたる船も持ってなかったし、旅のあいだの食料を買うお金もなかった。そしたら、ある人がビスケットを持たせてくれた。だから、ぼくたちは、旅から帰ったらお金をはらいますって、その人にいったんだ。あと、船乗りが船を貸してくれた。だけど、船はアフリカに着いたとき岩にぶつかってこわれちゃった。先生は家に帰って、その人のために別の船を手に入れなきゃっていってる。その人はびんぼうで、船のほかにはなにも持ってないんだよ」

サルたちはしばらくのあいだだまっていた。じっと地面にすわって、一生けん命考えている。

そのうち、マントヒヒの大親分が立ちあがっていった。

「あのりっぱな先生を、お礼なしで帰すわけにはいかん。最高の土産を持って帰ってもらわんとのう。先生には世話になったし、ぜひ感謝の気持ちを伝えたい」

木にこしかけていた、とても小さな赤ザルが、上から大声でいった。

「そうだ、そうだ！」

すると、みんながそれぞれに話を始めたので、あたりは大さわぎになった。「そうだ、それがいい。見たこともないような、とびきりのお土産をさしあげよう！」

それから、サルたちはおたがいに、先生になにをあげるのがいいか相談を始めた。一ぴきがいった。「ココナッツ五十袋！」もう一ぴきがいった。「バナナ百ふさ！　そしたら、お金をはらって食べる国でもフルーツは買わなくてすむよ！」

ところがチーチーは、そういうものはどれも、遠くまで運ぶには重すぎるし、半分も食べないうちにくさってしまう、といった。

「先生にお礼がしたいなら」チーチーはいった。「動物がいい。みんなもわかると思うけど、先生はきっと大事にしてくださる。動物園にもいない、めずらしい動物ならまちがいないよ」

サルたちは、チーチーにきいた。「動物園って、なんだ？」

そこでチーチーは、先生の国には、動物園といって、おりに入っている動物を人間が見にくる場所があるのだ、と説明した。すると、サルたちはびっくりして、いった。

「人間というのは、考えなしの子どもと同じだな。幼稚で、くだらないことをしておもしろがる。ほら！　それって、ろうやだろ」

それからサルたちはチーチーに、先生にさしあげる動物はなににしたらいいだろう、ときいた――先生が見たことのない動物がいいからだ。すると、マーモセットのリーダーがきいた。「むこうにイグアナは、いないだろう？」

ところが、チーチーはいった。「ううん、ロンドン動物園に一ぴきいる」

別のサルがきいた。「オカピは、いないんじゃないか？」

ところが、チーチーはいった。「ううん。ベルギーにいる。そこには五年前にオルガンひきに連れられていったんだけど、アントワープという大きな町に一頭いたよ」

また別のサルがきいた。「マエモウシロモは、いないよね？」

すると、チーチーはいった。「うん。むこうの人たちはマエモウシロモは見たことがない。お土産はそれにしよう」

10 世界一めずらしい動物

マエモウシロモは絶滅してしまった。だから、今はもうどこにもいない。しかし、ドリトル先生が生きていたころは、アフリカのジャングルの奥深くにまだ何頭かいたのだ。ただ、そのころでも、とても、とても、めずらしかった。この動物にはしっぽがなくて、その代わり、前も後ろも二本の角がはえた頭になっていた。とてもおくびょうだから、つかまえるのはほんとうにむずかしかった。ふつう、アフリカの人が動物をつかまえるときは、後ろからこっそり近づいて見られないようにする。ところが、マエモウシロモに、このやり方は通用しない。どちらから近づいても、正面だからだ。しかも、一度に片方の頭しかねむらない。もう片方の頭がかならず起きている。そうやって、見張りをするのだ。そういうわけで、マエモウシロモはつかまらなかった。だから動物園にいなかった。狩りの名人やとても頭がいい動物園の飼育員が、何年も何年も、雨の日も風の日も、ジャングルを歩きまわってマエモウシロモをさがしたけれど、ただの一頭もつかまえたことがない。こんなむかしでも、頭がふたつある動物は世界でマエモウシロモだけだった。

さて、サルたちはこの動物をつかまえにジャングルに入っていった。何キロも歩いたあと、一ぴきが川の近くで変わった足あとを見つけた。マエモウシロモはすぐそばにいるにちがいない。

川の土手にそって少し行くと、背の高い草がびっしり生えた場所に出た。マエモウシロモは、きっとここだ。

そこでサルたちは手をつないで、背の高い草地を囲むように大きな輪を作った。マエモウシロモはサルたちの近づく音をきいて、なんとかしてサルの輪からにげだそうとした。しかし、だめだった。にげようとしてもむだだとわかると、マエモウシロモはすわりこんで、サルがなにをしにきたのか、たしかめることにした。

サルたちは、マエモウシロモに、ドリトル先生といっしょに先生の国に行って、見世物になってほしい、とたのんだ。

しかし、マエモウシロモはふたつの首を思いきり横にふっていった。「そんなのいやだよ！」

サルたちは説明した。きみは動物園のおりに閉じこめられるわけじゃない。みんなに見てもらうだけだ。それに、とサルたちはいった。先生はとても親切な人だ。ただ、お金がない。人間は頭がふたつある動物が見たくてお金をはらうだろうから、先生はお金持ちになるだろうし、そうすれば、アフリカにくるときに借りた船の代わりが買える。

しかし、マエモウシロモは答えた。「いやだ。ぼくがはずかしがり屋だって知ってるよね。人にじろじろ見られるのなんて、だいきらいだ」マエモウシロモは今にも泣きそうだった。

それから三日間、サルたちはマエモウシロモにお願いを続けた。

そして、三日目の終わり、マエモウシロモは、とにかくいっしょに先生のところに行って、どんな人か会ってみるよ、といった。

そこで、サルたちは、マエモウシロモを連れて先生のところにもどった。草でできた先生の小さな家までくると、ドアをノックした。

アヒルのダブダブが、トランクに荷物をつめながら返事をした。「どうぞ！」

すると、チーチーがとくいそうにマエモウシロモを連れて部屋に入ってきて、先生に見せた。

「この目が信じられない」ジョン・ドリトル先生は、そのふしぎな生き物を見つめた。

「うそでしょ！」ダブダブがいった。「どうやって考えをまとめるの？」

「考えたりしないんじゃないかな」イヌのジップがいった。

「先生、ぼくたちが連れてきたのは」チーチーがいった。「マエモウシロモ——アフリカのジャングルでいちばんめずらしい動物です。世界じゅう見わたしても頭のふたつある動物はほかにいません！　連れて帰れば、お金になります。みんな、お金をはらって見にきます」

「いや、わたしはお金はいらないんだ」先生がいった。

「どうやって考えをまとめるの？」

「いいえ、いります」アヒルのダブダブがいった。「わすれたんですか？　パドルビーにいたころ、一生けん命節約しても肉屋にお金をはらうのがやっとだったじゃないですか？　それに、船乗りに新しい船を返す話はどうなるんです？——買うお金がないんじゃ、始まらないでしょう？」

「船は作ろうと思ってた」先生はいった。

「もう、まじめに考えてください！」ダブダブは声を張りあげた。「船を作る材木やくぎは、どこから持ってくるんです？　それに、どうやってくらすんです？　わたしたちは出かけるときよりびんぼうになって、家に帰るんです。チーチーのいうとおりですよ。このへんてこな仲間を連れて帰りましょう、いいですね！」

「まあ、きみのいうことはわからなくもない」先生はぼそぼそといった。「新種のかわいい仲間がふえることになるし。だが、ええと、その、ナントカくんはほんとうに外国に行きたいのかな？」

「行きます」マエモウシロモはいった。先生の顔をひと目見て、信用できる人だとわかったからだ。「先生は、ここのみんなにとても親切にしてくれてます。それにサルがいうには、これはぼくにしかできないって。でも、約束してください。もし、先生の国でその仕事を好きになれなかったら、ここへ送りかえしてくれるって」

「そりゃ、そうだ。いいとも、もちろんだ」先生はいった。「ところで、きみはシカと親戚じゃないかと思うんだが、ちがうかい？」

「親戚です。アビシニアン・ガゼルとアジア・カモシカが母方の親戚です。父方は、ひいおじいさんがユニコーンの最後の生き残りでした」

「じつにおもしろい!」先生はつぶやいた。そしてトランクから本を取りだした。

さっきダブダブがつめていた本だ。それから、ページをめくりはじめた。「博物学者のビュフォン(※)はなんて書いていたかな——」

「気がついたんだけど」ダブダブがいった。「あなた、片方の口でしか、しゃべってないのね。もう片方はしゃべれないの?」

「しゃべれますよ」マエモウシロモはいった。「でも、もう片方は食べるときのためにとっとくんです。だいたいそうしてます。そうすれば、食べながらしゃべっても、ぎょうぎが悪く見えないから。ぼくたち、とってもぎょうぎがいいんです」

荷物をつめ終わって出発の準備ができると、サルたちは先生のために盛大なパーティを開いた。ジャングルじゅうの動物がやってきた。みんなは、パイナップルやマンゴーやハチミツや、いろんなおいしいものを食べたり飲んだりした。

みんなが食べ終わると、先生は立ちあがっていった。

「みなさん、わたしは食事の最後に人前で話すのはにがてです。そういうのが好きな人もいますが。それに、フルーツやハチミツをたくさんいただいて、おなかもいっぱいだし。だが、みなさんにお伝えしておきたい。わたしはみなさんの美しい国をはなれるのがとても残念です。ですが、帰ってすることがあるので、帰らなくてはなりません。わたしがいなくなっても、わすれないでほしいことがあります。まず、ハエがたかった物は食べないように。それから、雨がふりそうなときは地面で寝ないように。わたしは――ええと――ええと――みなさんがこれから先ずっと、幸せにくらせることをいのっています」

先生が話しおわってこしを下ろすと、サルたちは長いあいだ拍手をしていた。

「いつまでもわすれないようにしよう。先生がみんなといっしょにすわって食事をなさった。ここの、この木の下で。まちがいなく、先生は人間のなかでもとびぬけてすばらしい人だ！」

ゴリラの大将は、ウマ七頭に負けないくらいの力持ちだったので、その毛むくじゃらのうでで大きな岩を先生の近くに転がしていった。

「この岩を、この場所の記念としよう」

今でも、ジャングルのまんなかにその岩がある。お母さんザルは、家族でそこを通りかかると、枝のあいだから岩を指さして小声で子どもたちにこういう。

「ほら！　あそこ。ごらん。病気が大流行した年に、あそこで親切な人間がわたしたちといっしょに食事をしたんだよ！」

こうして、パーティが終わると、先生と仲間の動物たちは海岸をめざして出発した。サルたちはみんな、国境までトランクやかばんを持ってついていき、先生を見おくった。


（※）ジョルジュ＝ルイ・ルクレール・ド・ビュフォン（一七〇七～八八年）。フランスの博物学者。

11
王子

川岸までくると、みんなは立ちどまってお別れのあいさつをした。

これには長い時間がかかった。何千ものサルがみんな、ジョン・ドリトル先生と握手をしたがったからだ。それも終わって、ここから先は先生と仲間の動物たちだけで進むことになったとき、ポリネシアがみんなにいった。

「歩くときはそっと、話すときは小声でね。ジョリギンキ王国を通るんですから。王さまがききつけたら、また家来をさしむけてあたしたちをつかまえようとするでしょ。王さまはあたしにだまされたことを、きっとまだ、とってもおこってますよ」

「心配なのは」先生がいった。「どこで船を手に入れて家に帰るかだ……まあ、たぶん、砂浜まで行けば、だれも使っていない船が見つかるだろう。〝案ずるより産むがやすし〟だ」

ある日のこと、みんなでジャングルの奥深くを進んでいるとき、チーチーがココナッツをさがしに先に行ってしまった。チーチーがいないと、先生たちはジャングルをどっちに行ったらいいかわからない。深い森のなかで迷ってしまった。あちこち歩きまわったけれど、海岸に出る道は見つからない。

チーチーは、先生たちがどこにもいないことに気がついて、ひどくあわてた。高い木に登って、木の上から先生のシルクハットを見つけようとした。手をふって大声をあげて、仲間の名前を順番によんだ。しかし、むだだった。先生たちは、まるできれいさっぱり消えてしまったかのようだ。

先生たちはすっかり道に迷っていた。もうずいぶん長いあいだ、道からはずれて歩きまわっている。ジャングルのなかには、うっそうとしたしげみや、ツタやツルがからまっている場所があって、ときどき前に進めなくなる。そんなときはポケットナイフを取りだして、道を切り開かなければならなかった。じめじめした沼地のようなところで足を取られたり、三色ヒルガオがびっしり生えているところでツタにからまって身動きが取れなくなったり、とげにあちこちひっかかれたり、往診かばんを二度も草のなかに見うしないかけたりした。次から次にあぶない目にあって、それがいつまでも終わらないように思えた。どこまで行っても、道は見つからない。

　何日もさまよい歩くうちに、服は破れ、顔は泥だらけになった。とうとう、先生たちは王さまの宮殿のうら庭に迷いこんでしまった。家来たちが飛んできて、先生たちをつかまえた。

　しかし、ポリネシアは庭の木に飛んでいき、だれも見ていないうちにかくれてしまった。先生とほかの動物たちは王さまの前に連れていかれた。

「わっはっは！」王さまは大わらいした。「さあ、またつかまえたぞ！　今度は、にがさん！　全員またろうやに入れて、とびらのかぎは二重にしろ。この男には死ぬまで台所のゆかみがきをさせてやろう！」

　先生たちは、またろうやに連れていかれて、閉じこめられた。そして、先生は、朝になったら台所のゆかをみがくように命じられた。

みんな泣きたい気持ちだった。

「いやあ、まいったな」先生はいった。「ぜったいにパドルビーに帰らなければならないというのに。あの船乗りはわたしが船をぬすんだと思うだろう。そろそろ帰らないと……この、ちょうつがいがはずれるといいんだが」

しかし、とびらはがんじょうで、しっかりかぎがかかっていた。にげだすチャンスはなさそうだ。ガブガブがまた泣きだした。

そのあいだずっと、ポリネシアは宮殿の庭の木にとまったまま、だまって目をぱちぱちさせていた。

ポリネシアがこうしているときは、きまってこまった問題をかかえている。なにもいわずにまばたきをするのは、めんどうな事件をどうやって解決したらいいか考えているときだ。ポリネシアやポリネシアの友だちをやっかいごとに巻きこんだ者は、まちがいなく、あとでそれを後悔することになる。

そのうち、ポリネシアは、チーチーが木から木へ飛びうつりながら先生をさがしているのを見つけた。チーチーのほうでもポリネシアに気がついて、庭の木にやってくると、先生はどうしたのかときいた。

「王さまの家来につかまって、またろうやに入れられてしまったんです」ポリネシアが小声でいった。「ジャングルで迷って、まちがって宮殿のうら庭に出てしまってね」

「だけど、きみが道案内してたんじゃないの？」チーチーがきいた。そして、ポリネシアにむかって、ぼくがココナッツをさがしにいっているあいだは、先生たちが迷わないように気をつけなくちゃだめじゃないか、と文句をいいはじめた。

「ぜんぶ、あのまぬけな子ブタのせいですよ」ポリネシアがいった。「あの子ときたら、道をはずれてショウガをさがしにいってばかり。だから、あの子をつかまえて連れもどすのにいそがしかったんですよ。それで、左に曲がったのが大まちがい。右に行かなきゃいけなかったんですよね、あの沼のところで。しっ！　見て！　バンポ王子が庭に入ってきました！　見られないようにしないと。動いちゃだめですよ、ぜったい！」

ポリネシアのいうとおり、王さまの息子のバンポ王子が、庭の木戸を開けて入ってくる。わきにはおとぎ話の本をかかえていた。王子はじゃり道をのんびり歩きながら、悲しげな歌を口ずさんで、石のベンチまでやってきた。ちょうど、ポリネシアとチーチーがかくれている木の下だ。王子はベンチに寝そべると、おとぎ話を読みはじめた。

チーチーとポリネシアは、王子から目をはなさないようにして、じっとしていた。

「チーチー！」ポリネシアが小さな声でいった。「いいことを思いつきました。もしかすると、王子を催眠術にかけられるかもしれませんよ！」

「どういうこと？」チーチーも小声でいった。

「催眠術にかけられた人は、ねむったみたいになって、いわれてたとおりにするんです。目が覚めたあとも、命令されていたことをやるんですよ。もし、王子に催眠術をかけられたら、ろうやのかぎを開けさせて、先生がにげられるようにできますよ！」

「やってみようよ。どうやるの？」

「見ていてちょうだい。動いたら、だめですよ」ポリネシアはそうささやくと、すばやく枝を伝って、王子のすぐそばにとまった。それから小枝を持って王子の目の前でゆっくりとゆらしながら、のどの奥で低く歌った。

バンポ王子は、小枝が行ったりきたりするのをながめていたが、そのうちに目がとろんとしてきた。ポリネシアはすかさず、おだやかな声でいった。「バンポ、バンポ王子、そなたは、やらなければならないことがある」

バンポ王子は目をつぶったまま、にっこりわらった。

「そなたの父のろうやに」ポリネシアがいった。「有名な男がおる。その名はジョン・ドリトル。薬についての知識は豊富なことこの上なし、医者としてあらゆる病を治してきた。だが、王であるそなたの父は、気が遠くなるほど長い長いあいだ、その男をろうやに閉じこめている。男のもとへ行け、勇者バンポよ。気づかれぬように、日がくれてから行くのだ。いや、その前にまず、船の用意をしろ。この国から遠く旅立つための船だ。それから、ろうやのかぎを開けろ。偉大な男と仲間たちを自由にするのだ！」

ねむっている王子が、またにっこりわらった。

12
脱出

ポリネシアは、だれにも見られないように、そうっと庭をぬけだすと、ろうやに飛んでいった。

すると、鉄格子のあいだからつきでている子ブタのガブガブの鼻が見えた。ガブガブは宮殿の台所から流れてくる料理のにおいをくんくんかいでいる。ポリネシアがガブガブに、先生と話したいからよんできてというと、ガブガブは先生を起こしにいった。先生は昼寝をしていたのだ。

「きいてください」ポリネシアは、ジョン・ドリトル先生の顔が現れると、小さな声でいった。「バンポ王子が船を用意してくれます。それから、今夜、王子がここにきて、ろうやのかぎを開けてくれるはずです。にげる準備をしてください」

「いったい――」先生が口を開いたとたん、ポリネシアが「しっ！」といった。

「静かに！　見張りがきますよ！」ポリネシアはそういうと飛んでいった。

王子は夢で（ポリネシアに）いわれたとおり、夜おそく、ろうやにやってきた。

「ああ、偉大なお医者さま」王子はいった。「あなたを自由の身にしてさしあげます。船も用意いたしました」

王子はポケットから銅のかぎの束を取りだし、大きな二重かぎをはずした。先生は動物たちといっしょに、海辺へ全速力でかけだした。バンポ王子は、空っぽになったろうやのかべに寄りかかって、先生たちのことを考えながら満足そうにほほえんでいた。

先生たちが海辺に到着してみると、ポリネシアとチーチーが岩場にいて、すぐそばに船があった。マエモウシロモも、白ネズミも、ガブガブも、ダブダブも、ジップも、トートーも、みんな先生といっしょに船に乗りこんだ。ただ、チーチーとポリネシアとワニはあとに残った。アフリカはチーチーたちがもともといた場所、ふるさとなのだ。

先生は甲板に立って水平線をながめた。それからふと、パドルビーまで案内をしてくれる者がいないことに気がついた。広い広い海は、月明かりの下、おそろしくなるほど大きくてなにもない。陸地が見えなくなったら方向がわからなくなってしまうかもしれない。先生は心配になってきた。

そんなことを考えていると、ささやき声に似た奇妙な音がきこえてきた。空の上から夜のやみをとおしてきこえてくる。動物たちもみんな、さよならをいうのをやめて、耳をすました。

音はだんだん大きく、そうぞうしくなって、どんどん近づいてくる——まるで、ポプラの葉のあいだをふきぬける秋風か、屋根を打つどしゃぶりの雨のような音だ。

するとジップが、鼻を上にむけ、しっぽをぴんと立てていった。

「鳥だ！　数えきれないくらいいる！　すごく速いよ、ほら！」

みんなが空に目をやった。月を背にして、小さなアリの大群のように、何千何万という小鳥が飛んでいる。たちまち、空全体が鳥でいっぱいになった。鳥たちは、ぐんぐんこちらに近づいてくる。あとからあとから飛んでくる。あんまりたくさん飛んできたので、月をすっぽりおおってしまった。月はかがやきをなくして、海はますます暗くなった。まるであらしの雲が太陽をおおいかくしたときのようだ。

やがて、鳥の群れが海や陸とすれすれに飛ぶようになると、また夜空が見えるようになり、月がかがやきだした。鳥たちは鳴きもせず、さえずりもせず、歌いもしない。ただ、たくさんの翼の音だけがどこまでも大きくなっていく。鳥たちが砂浜や船のロープにつぎつぎにとまると――いろんなところにとまったが、木にはとまらなかった――やっとドリトル先生は鳥をはっきり見ることができた。青い翼、白い胸、羽毛が生えた短い足。すべての鳥が場所を見つけてとまったとたん、なんの音もしなくなった。あたりはしんとして、なにひとつ動かない。

やがて、静かな月明かりのなかで、ジョン・ドリトル先生の声がした。

「こんなに長いあいだ、アフリカにいたとは思わなかった。わたしたちが家に帰

大声で泣きながら、船が見えなくなるまで手をふっていた。

りつくころには、もう夏だ。ここにいるのは、北へ帰るツバメだ。ツバメくんたち、わたしたちを待っていてくれてありがとう。気をきかせてくれたんだな。これで、海の上で迷う心配はなくなった……錨を上げろ、出発だ！」

船が海の上を進みだしたとき、残った三びき――チーチーとポリネシアとワニ――は、とても悲しくなった。これまでに、川のほとりのパドルビーに住むジョン・ドリトル先生ほど好きになった人間はいなかったからだ。

チーチーたちは大声で、先生にさようならを何度も、何度も、何度もいった。岩の上に立ちつくして、大声で泣きながら、船が見えなくなるまで手をふっていた。

13
赤い帆と青い翼

船はまず、バーバリの海岸の近くを通らなければならなかった。このあたりはサハラ砂漠が海のすぐそばまで広がっている。人のいないさびしい場所で、砂と石ころだらけだ。そのうえ、バーバリ海賊の縄張りでもあった。海賊というのはとんでもない悪者で、海岸で船が難破するのをまちぶせしている。ときには、通りかかった船を見つけて、自分たちの足の速い船で追いかけることもある。そうやって船をつかまえると、積み荷をぜんぶ取りあげる。乗っている人たちを自分たちの船に乗せてから、つかまえた船はしずめる。そのあとバーバリにむけて船を走らせながら、歌をうたって自分たちの悪事をじまんするのだ。つかまえた人質には手紙を書かせて、ふるさとにいる友だちに金を送らせる。そして、もし、友だちが金を送ってこないと、たいていは人質を海に投げこんでしまうのだ。

さて、ある晴れた日、先生とアヒルのダブダブは船の階段を上がったり下りたりして運動をしていた。気持ちのいいさわやかな追い風がふいている。みんな、いい気分だった。しばらくしてダブダブが、船のはるか後ろ、水平線のあたりに、もう一せき船がいることに気がついた。赤い帆を上げている。

「ああいう帆は好きじゃないわ」ダブダブがいった。「こわい人が乗ってそうだもの。また大変なことにならなきゃいいけど」

ジップは、寝そべってうとうとと、ひなたぼっこをしていたが、寝言でうなりはじめた。

「ローストビーフを作ってるにおい」ジップがつぶやく。「軽くあぶったローストビーフ——ブラウンソースがかかってる」

「おどろいたなあ！」先生が大声でいった。「ジップはどうしたんだ？ 寝ていてもにおいがわかるのか？ それとも、ただの寝言か？」

「においがするんでしょう」アヒルのダブダブがいった。「イヌはみんな、寝ていてもにおいがわかります」

「しかし、なんのにおいだ？　ローストビーフなんて、この船では作ってないぞ」

「そうですね」ダブダブがいった。「きっと、むこうのあの船にローストビーフがあるんでしょう」

「しかし、十五キロもはなれてるじゃないか。あんな遠くのにおいは、さすがにむりだろう！」

「あら、ジップにはわかります。あれをきいてごらんなさい」

ジップは、まだよくねむっていたが、またうなりはじめた。おこって歯をむきだしにしたので、きれいな白い歯が見えている。

「悪者のにおい」ジップがうなった。「こんな悪いやつのにおい、はじめてだ。やっかいごとのにおい。戦いのにおい。六人の悪者相手に、ゆうかんな男の人がひとり。助けなきゃ。ウー、ワン！」ジップは大きくほえて目を覚まし、おどろいた顔をした。

「見て！」ダブダブがいった。「船がこっちにきます。大きな帆が三つ――ぜんぶ赤。だれだか知らないけど、わたしたちを追いかけてる……だれなの？」

「悪い船乗りだ」ジップがいった。「それに、あの船はすごく足が速い。きっとバーバリの海賊だ」

「じゃあ、もっと帆を上げないとな」先生がいった。「そうすれば、速く進めるからにげきれる。ジップ、船室からありったけの帆を持ってきてくれ」

　ジップは船室にかけおりていって、そこにあった帆をぜんぶ引きずって上がってきた。

「きっと、バーバリの海賊だ」

しかし、その帆をぜんぶマストにかけて風をつかまえるようにしても、海賊の船ほど速くはならない。海賊船はあいかわらず追いかけてきて、みるみる近づいてくる。

「王子がくれたこの船がぼろいんだ」子ブタのガブガブがいった。「いちばんのろい船なんだよ、きっと。スープなべに乗ってレースに勝とうとするようなもんだよ。こんなぼろ船じゃ、にげきれない。ほら、もうそこまできた！　口ひげまで見える――六人だ。どうすんの？」

そこで先生は、アヒルのダブダブを、飛んでいるツバメのところに使いにやった。そして、海賊が足の速い船で追いかけてくるが、どうしたらいいだろう、ときいてもらった。

ツバメたちはこれをきくと、先生の船に下りてきた。そして、できるだけ早く、長いロープをほぐして細いひもをたくさん作るように、といった。できあがったひものはしを船の舳先に結びつけると、ツバメたちはそれを足でつかんで飛びたち、船を引っ張りはじめた。

ツバメは一羽や二羽ではたいして力はないけれど、たくさん集まればそんなことはない。先生の船には千本のひもが結びつけられ、それを二千羽のツバメが引っ張った——ツバメはぐんぐん飛んでいく。

船はあっというまにものすごい速さで進みだした。先生は両手で帽子をおさえている。まるで、あわ立つ波のあいだをすごいスピードで飛んでいるようだ。

船の上の動物たちは、ひゅうひゅうという風の音をききながら、声を上げてわらい、おどりだした。後ろの海賊船が、今度は大きくなる代わりに小さくなっていたからだ。赤い帆は、はるかかなたに遠ざかっていった。

14
ネズミの警告

船を引っ張って海の上を進むのは、とても大変だ。二、三時間もすると、ツバメたちは、つかれて息が切れてきた。そこで、ドリトル先生に伝言を送った。〝そろそろひと休みしたいです。近くに島がありますから、そこまで船を引っ張っていって、入り江の奥にかくします。ゆっくり休んでから、また出発しましょう〟。

やがて、ツバメのいったとおり島が見えてきた。島のまんなかには、とても美しい緑の山がそびえてる。

船は入り江の奥に無事に錨を下ろした。ここなら、島の外からは見えない。先生は、船を下りて水をさがしにいく、といった。船にはもう水がないからだ。そして動物たちにも、船を下りて草の上で遊んで足をのばしておいで、といった。

そこでみんなは船を下りはじめたのだが、先生は、ネズミもみんな船倉から上がってきて、やはり船を下りていくのに気がついた。ジップはネズミを追いかけはじめた。ネズミを追いかけるのが大好きなのだ。先生はそれを見て、ジップにやめるようにいった。

大きな黒いネズミが、さっきから先生になにかいいたそうにしていたが、おずおずと船べりを伝ってきた。しきりにジップを横目で見ている。びくびくしながら、二、三回せきばらいをして、ひげをきれいにして口をぬぐってから、いった。

「こほん、あー、先生はもちろん、どんな船にもネズミがいるの、知ってますよね？」

すると、先生がいった。「ああ、知ってるよ」

「それに、ネズミってのは、しずみそうな船からにげだすのも？」

「ああ、きいたことがあるよ」

「人間って」ネズミがいった。「そういう話、いつも本気にしないんだよね――かっこ悪いと思ってんのかな？　でも、そんなの変だ。だってさ、いったいだれ

「ネズミってのは、しずみそうな船からにげだすの、知ってます？」

がしずみそうな船に残るんだ？　下りられるなら、下りるでしょ？」

「ああ、そのとおり。まったくだ。よくわかる……なにか——なにかほかにいいたいことがあるのかな？」

「ええと」黒いネズミはいった。「いいたかったのは、おれたちはこの船をはなれるってことだ。でも、その前に、先生にいっておきたくって。先生の乗ってるこの船は、よくない。あぶないんだ。あんまりじょうぶにできてない。板がくさってる。明日の夜までには、海の底だ」

「しかし、どうしてわかった？」

「おれたちには、わかるんだよ。しっぽの先がぴりぴりしてくる——足がしびれるみたいに。今朝の六時に朝めし食ってたら、しっぽが急にぴりぴりしてきて、最初はね、またリウマチが出たと思った。で、おばさんにききにいったんだ。おばさんはどんなかと思って——おれのおばさん、知ってるでしょ？　背の高いぶちのネズミで、どっちかっつうとやせてて、去年の春、パドルビーにいたころ、黄疸になって先生にみてもらったことがあるんだ。そしたら、おばさんのしっぽも、ひどくぴりぴりするって！　で、おれたちは、まちがいないと思った。この船はあと二日もしないうちにしずんじまうって。で、陸が近づいたらすぐ、この船をはなれようと決めたんだ。この船はだめだ、先生。この船に乗ってくのは、やめといたほうがいい。でないと、おぼれる……そいじゃ、これで！　おれたちは、これから、この島で住めそうなところをさがすんで」

「さようなら！」先生はいった。「それから、知らせてくれてありがとう。なんて親切なネズミなんだ、ほんとうに！　おばさんによろしくいってくれ。おばさんのことはよく覚えてるよ……ジップ、そのネズミに手を出すな！　おいで！　ふせ！」

先生は、仲間の動物たちといっしょに、バケツやなべを持って船から下りた。島で水をさがすのだ。ツバメたちのほうは、そのあいだにひと休みした。

「この島は、なんという名前だろう」先生は山の斜面を登っていた。「なかなか気持ちのいいところだ。ずいぶんたくさん鳥がいるなあ！」

「おや、ここは、カナリア諸島ですよ」アヒルのダブダブがいった。「カナリアが歌っているのがきこえませんか？」

先生は、立ちどまって耳をすました。

「ああ、ほんとうだ——たしかに！」先生はいった。「うっかりしていた！　カナリアなら、どこに水があるか教えてくれるんじゃないか」

カナリアたちはわたり鳥から先生のうわさをたくさんきいていたので、すぐにやってきて、先生を美しい泉に案内した。泉の水は冷たくてきれいで、ふだんカナリアはそこで水浴びをする。次に、カナリアたちは先生を気持ちのいい草原に連れていった。そこにはカナリアの大好物のカナリアクサヨシが生えていて、島全体が見わたせた。

マエモウシロモは大よろこびだ。緑の草のほうが、船で食べている干しリンゴよりずっとおいしい。子ブタのガブガブはうれしそうに鼻を鳴らして、谷いっぱいに生えているサトウキビをながめた。

いくらもたたないうちに、みんなはたくさん食べて、たくさん飲んで、おなかがいっぱいになった。そして、草の上に寝転がると、カナリアの歌に耳をかたむけた。そこへ、二羽のツバメが大あわてで飛んできた。

「先生！」ツバメたちがさけんだ。「海賊が入り江に入ってきました。あいつらは、先生の船を乗っとってしまいました。ぬすむものがないかさがしています。海賊の船にはだれも乗っていません。急いで海岸に行けば、海賊の船に乗って――速い船ですから――にげられます。だけど、急いでください」

「それはいい考えだ！」先生はいった。「すばらしい！」

そこで先生は仲間の動物をよび集めて、カナリアにさよならをいうと、みんなで海岸にかけていった。

海岸に着いてみると、海賊の船があった。赤い帆を三つ張って、海にうかんでいる。そして――ツバメのいっていたとおり――だれも乗っていない。海賊は全員、先生の船の船室に下りてぬすむものをさがしていた。

そこで、ジョン・ドリトル先生は動物たちに音を立てないで歩くようにいった。

そして、みんなでこっそり海賊の船に乗りこんだ。

15

バーバリのドラゴン

すべてうまくいくはずだったのだが、子ブタのガブガブが島でぬれたサトウキビを食べて鼻かぜをひいたせいで、すべてがだいなしになってしまった。

みんなは、音を立てないようにして錨を引きあげると、そろそろと入り江の外に船を動かしていった。ところがとつぜん、ガブガブが大きなくしゃみをした。それをきいて、むこうの船に乗っていた海賊たちが、なんの音だろうと甲板にかけあがってきた。

そして、先生たちがにげようとしているのを見つけると、すぐに自分たちの乗っている船で入り江の入り口をふさいだ。先生たちは外の海へ出られなくなってしまった。

悪党の親分（″ドラゴンのベン・アリ″と名乗っていた）は、先生にむかってげんこつをふりまわし、乗っている船からさけんだ。

「わっはっは！　つかまえたぞ！　おれさまの船でにげようってのか、え？　このバーバリのドラゴン、ベン・アリさまをだしぬけると思っているのか。そこにいるアヒルをよこしな――そのブタもだ。ポークチョップとローストダックにして晩めしに食ってやる。さあ、家に帰りたきゃ、友だちにたのんでトランクいっぱいの金貨を送ってよこすんだな」

かわいそうなガブガブは、めそめそ泣きはじめた。ダブダブは死にたくなかったので飛んでにげようとした。しかし、フクロウのトートーが先生に小声でいった。

「あいつと話を続けてください。いい気にさせておくんです。あの古い船はもうすぐしずみます。ネズミがいってたじゃありませんか、船は明日、日がくれる前には海の底だって。ネズミはまちがったりしません。うまく話を合わせて、船がしずむのを待つんです。しゃべらせておけばいいんです」

「おーい、ベン・アリ」

「なんだって、明日の夜まで？」先生はいった。「まあ、がんばってみるか……そうだな、なにを話せばいい？」

「ね、やっつけちゃおう」ジップがいった。「きたないコソ泥と戦おうよ。相手はたったの六人だ。こてんぱんにしちゃおう。うちに帰ったら、となりのコリーにじまんしてやる。本物の海賊にかみついたんだぜって。くるなら、こい。悪者め！」

「しかし、あいつらはピストルと剣を持っている」先生はいった。「だめだめ、かみついたってかなわないよ。わたしが海賊と話をする……おーい、ベン・アリ――」

　ところが先生が話を始める前に、海賊は船を近づけてきた。げらげらとわらいながら、「最初にブタをつかまえるのはだれかな？」などといいあっている。

　ガブガブはかわいそうに、ふるえあがった。マエモウシロモは戦いに備えて角を船のマストにこすりつけて研いでいる。ジップはずっと、飛びはねながらほえて、ベン・アリにむかってイヌ語で、弱虫、まぬけ、ろくでなし、といっている。

　ところが、海賊たちになにかまずいことが起こったらしい。わらうのも冗談をいうのもぴたっとやめた。みんな、とまどって不安そうにしている。

　そのうち、ベン・アリが足元を見て、とつぜん大声を上げた。

「ええい、ちくしょう！　やろうども、水が入ってきてる！」

　それをきいて、ほかの海賊たちが船から身を乗りだして下を見ると、たしかに、海面がじわじわと上がってきている。海賊のひとりがベン・アリにいった。

「このぼろ船がしずみかけてるんだったら、ネズミがにげだすはずですぜ」

ジップがこちらの船から大声でいった。

「ばかばかばーか、そっちにはネズミ一ぴきいないんだ！　二時間前ににげちゃったんだから！　今度はこっちが、〝わっはっは！〟だ！」

もちろん、海賊たちにはジップがなにをいっているのかわからない。

船は舳先からみるみるうちにしずんでいって、とうとう逆立ちをした。六人の海賊は、手あたりしだいに、手すりやマストやロープにしがみついて、すべり落ちないようにしている。海水がごうごうと音を立てて、窓やとびらからすごい勢いで流れこむ。やがて船は海の底へしずんでいった。ごぼごぼというおそろしい音がきこえていた。あとには、入り江の深い海にうかんでいる六人の悪党が残った。

岸にむかって泳ぎだす者もいたが、先生の船に乗ろうとする者もいた。しかし、ジップが鼻にかみつこうとしたので、こわくて船に上がってこられない。

とつぜん、海賊たちが悲鳴を上げた。

「サメだ！　サメがきたぞ！　乗せてくれ。食われちまう！　助けてくれ、たのむ！　サメだ！　サメだ！」

入り江のむこうから、いくつもの大きな背びれが水を切って一直線に進んでくるのが、先生にも見えた。

一ぴきの大きなサメが船に近づいてきて、水から鼻先をつきだして先生に声をかけた。

「あんたがジョン・ドリトル先生かい？　あの有名な動物の医者の？」

「ああ」ドリトル先生はいった。「そうだよ」

「そうか。この海賊どもがとんでもない悪党だってのは知ってる——ベン・アリはとくにな。もし、こいつらが先生にめいわくかけてんなら、食っちまってもいいぜ。そうすりゃあこの先、先生も安心だろ」

「ありがとう。それはありがたい。しかし、食べてもらうまでもないかな。わたしがいいというまで、海賊が岸に上がらないようにしてくれ。泳がせておいてほしいんだ、お願いできるかい？　それから、ベン・アリをここに連れてきてくれ、話がしたいから」

そこで、サメはベン・アリを後ろからつついて、先生のところへ連れてきた。

「いいか、ベン・アリ」ジョン・ドリトル先生が、船から身を乗りだしていった。「おまえは悪いことばかりしてきた。人をたくさん殺しただろう。ここにいるサメが、おまえを食べてくれるといってきた。海の平和のためには、おまえはいないほうがいいと思う。しかし、もし、わたしのいうとおりにするなら、助けてやろう」

「なにをしろっていうんだ？」ベン・アリがきいた。ふと、わきを見ると、大きなサメがベン・アリの足のにおいをかいでいる。

「これ以上、人を殺さないこと」先生がいった。「ぬすみをやめること。船をしずめないこと。海賊をやめること」

「海賊をやめて、なにすりゃいいんだ？　どうやって食ってけってんだ？」

「仲間といっしょに、この島で畑を作ってカナリアクサヨシを育てなさい。カナリアのために、鳥のえさを作るんだ」

バーバリのドラゴン、ベン・アリの顔がまっ赤になった。「鳥のえさを作れだと！」ベン・アリがどなった。「船乗りをやめろってのか？」

「そうだ。ずっと船乗りだったじゃないか。そして、たくさんのりっぱな船とりっぱな男を海の底にしずめてきた。これから先は、畑をたがやし平和にくらすんだ。サメが待ってる。これ以上待たせちゃ悪い。いうとおりにするか？」

「ええい、ちくしょう！」ベン・アリがぼやいた。「鳥のえさかよ！」もう一度水のなかをのぞくと、大きなサメはもう片方の足のにおいをかいでいる。

「わかったよ」ベン・アリは泣きそうな顔でいった。「農夫になってやらあ」

「それから、覚えておくんだ。もし、約束を破って、人殺しやぬすみを始めたら、わたしにはちゃんとわかる。カナリアが教えにきてくれるからな。そうしたら、かならず、おまえをこらしめてやる。わたしはおまえのようには船をあやつれないが、鳥やけものや魚が友だちだから、海賊の頭などこわくない。えらそうに〝バーバリのドラゴン〟を名乗っていても、ちっともこわくないんだ。さあ、島で鳥のえさを作って平和にくらすんだ」

それから先生は、大きなサメのほうにむきなおって、手をふりながらいった。

「もういい。ありがとう。岸まできしやさしく送おくっていってくれ」

16
トートー、耳をすます

　サメにもう一度お礼をいってから、先生と仲間たちはふたたびわが家めざして出発した。今度の船は、赤い帆を三枚張った足の速い船だ。

　船が入り江の外に出ると、動物たちはみんな階段を下りて、新しい船のなかがどうなっているのか見にいった。そのあいだ、先生は、船尾の手すりにもたれてパイプをくわえ、カナリア諸島が夕やみに消えていくのをながめていた。

　先生は、あれこれ考えごとをしていた。サルたちは元気でやっているだろうか。パドルビーのうちの庭は、帰ったらどんなふうになっているだろうか。そのとき、アヒルのダブダブがよたよたと階段を上がってきた。にこにこして、なにか話したそうだ。

「先生！」ダブダブが大きな声でいった。「この海賊の船は、ほんとすてきです。うっとりします。船室のお布団はうす黄色の絹で、大きなまくらやクッションがたくさん。ゆかにはふかふかのカーペットがしいてあるし、お皿は銀だし、食べ物も飲み物もいろいろあって、どれもおいしそう。食料庫は、そうね、まるでお店みたいです、まったくあんなのは、見たことないと思います。たとえばね、イワシのかんづめなんて五種類もあるんです。まあ、あの海賊ときたらぜいたくなんですよ！　見にきてくださいな……そういえば、小さな部屋があってね、かぎがかかっているんです。どうにかしてなかに入って、見てみようとしたんですよ。ジップが、きっと海賊の宝が入ってるんだ、なんていうものだから。でも、ドアが開かないんです。ちょっといらして、開けられるかやってみてくださいな」

そこで、先生も船室に下りていった。ダブダブのいうとおり、すばらしい船だ。動物たちは小さなドアの前に集まって、がやがやとおしゃべりしている。なかになにが入っているか当てようとしているのだ。先生がドアノブをひねってみたけれど、開かなかった。するとみんなは、かぎさがしを始めた。足もとの小さなマットをめくってみる。カーペットもぜんぶめくってみる。食器だなも、引き出しも、物入れも、船の食堂にあった大きな箱ものぞいてみる。どこもかしこも、ぜんぶさがした。

かぎをさがしていると、今まで見たこともないようなすばらしい物がまた見つかった。海賊がほかの船からぬすんだものにちがいない。カシミアの肩かけはクモの糸で編んだようにうすくて、金色の糸で花もようがししゅうしてある。ほり物をしたぞうげの箱にはロシアの紅茶の葉がぎっしりつまっている。弦が一本切れて後ろに絵が描いてある古いヴァイオリン。サンゴとコハクで作ったチェスのこま。柄を引っ張ると、なかから剣が出てくるつえ。ふちにターコイズと銀をあしらったワイングラスが六つ。おしゃれなさとう入れは、真珠色にかがやいている。ところが、船じゅうどこをさがしても、あのドアのかぎは見つからない。

みんなはドアの前にもどってきた。ジップが、かぎ穴からなかをのぞいてみる。しかし、すぐ内側になにか置いてあって、なにも見えない。

みんなその場に立ったまま、どうしようかと考えていると、フクロウのトートーが、とつぜんいった。「しっ！　静かに！　なかにだれかいるぞ！」

しばらくのあいだ、みんなはじっとしていた。そのうち、先生がいった。

「気のせいだろう、トートー。わたしには、なにもきこえない」

「ちゃんときこえました。しっ！　ほら、また。きこえませんか？」

「きこえないな。どんな音だい？」

「だれかがポケットに手を入れた音です」

「そんなことで音はしない。もし、したとしても、ここからきこえるはずがない」

「しっ！　静かに！　なかにだれかいるぞ！」

「お言葉ですが、わたしにはきこえます」トートーはいった。「いいですか、ドアのむこうにだれかがいて、ポケットに手を入れています。どんなことでも、なにかしらの音はします。それがきこえる耳があるかどうかです。コウモリには、モグラが土のなかのトンネルを歩く音がきこえます。それで、コウモリは自分の耳はよくきこえると思っています。しかし、わたしたちフクロウは、片方の耳だけで、まっ暗やみにいる子ネコのまばたきの音をきいて、その子ネコの色を当てられます」

「いや、まったく！」先生はいった。「おどろいたな。そいつはおもしろい……もう一度きいて、その男がなにをしているのか教えてくれ」

「いえ、まだ、男だと決まったわけではありません」トートーがいった。「女かもしれない。わたしをかぎ穴のところまで持ちあげてください。そうすればわかりますから」

先生はフクロウをだきあげて、かぎ穴に近づけてやった。

しばらくして、トートーがいった。

「左手で顔をこすっています。手は小さくて、顔も小さい。もしかしたら、女の人……ちがうな。ひたいのかみの毛をかきあげました。男です」

「女の人も、そういうしぐさをするだろう」

「はい。しかし、女の人の長いかみの毛はちがう音がします……しっ！　そこのうろちょろしているブタを静かにさせてください。ちょっと、みなさん、息をとめて。そうすれば、よくきこえますから。とてもむずかしいんです、わたしがやっていることは。しかもこのドアときたら、やたらと分厚い！　しっ！　みなさん、動かないで。目をつぶって、息をとめて」

　トートーは頭をドアに近づけて、耳をすましました。

　ついにトートーが顔を先生にむけて、いった。

「なかにいる男は、悲しんでいます。そっと泣いています。声を出して泣いたり、鼻をすったりしないように気をつけています。泣いているのがきこえないように。だが、わたしにはきこえた。まちがいない。あれは、なみだが一滴、そでに落ちた音です」

「どうして、天井のしずくが、そでに落ちたんじゃないってわかんのさ？」子ブタのガブガブがきいた。

「おやおや！　ものを知らないにしてもほどがある！」トートーがいった。「天井からしずくが落ちたら、この十倍も大きな音がするんだ！」

「さて」先生がいった。「そのかわいそうな人が泣いているなら、なかに入ってどうしたのかきいてみよう。おのを持ってきてくれ。ドアをこわそう」

17 海の新聞記者

おのはすぐに見つかった。先生はおのでドアに穴を開けて、そこからなかに入った。

最初は、なにも見えなかった。なかがまっ暗だったからだ。そこで、先生はマッチをすった。

部屋はとてもせまかった。窓はなく、天井が低い。家具は、小さないすがひとつあるきりだ。部屋のまわりには大きな樽がならべてあって、船がゆれても転がらないように底はしっかりゆかにとめてある。樽の上のかべを見ると、いろいろな大きさのすずでできたジョッキが、木のくぎにかけてある。ワインのようなにおいもぷんぷんしている。そして、部屋のまんなかには、八さいくらいの小さな男の子がうずくまって、声をひそめて泣いていた。

「きっと、海賊の酒倉だ！」ジップが小声でいった。

「うん、ラム酒だね！」子ブタのガブガブがいった。「においで頭がくらくらしてくる」

その子は、目の前に男の人が立っているのに気がついて、こわがっているようだった。それに、動物がたくさん、ドアに開いた穴からこちらをのぞいている。しかし、マッチの火に照らされたジョン・ドリトル先生の顔を見たとたん、男の子は泣くのをやめて立ちあがった。

「海賊じゃあないね？」男の子がきいた。

先生は天井をむいて大わらいした。すると、その子もにっこりわらうと、先生に近づいて手をにぎった。

「友だちみたいにわらうんだね」男の子はいった。「ぜんぜん海賊っぽくない。ぼくのおじちゃんがどこにいるか、知らない？」

「すまないが、わからない。最後に会ったのはいつだい？」

「おととい。おじちゃんとボートでつりをしてたら、海賊がきて、ぼくたち、つかまっちゃったんだ。つりのボートはしずめられて、ぼくたちふたりとも、この船に連れてこられた。海賊はおじちゃんに自分たちの仲間になれっていった。おじちゃんは、どんな天気のときでも上手に船をあやつれるから。でも、おじちゃんは海賊なんかになりたくないっていったんだ。人を殺したり物を取ったりするのは、りっぱな船乗りのすることじゃないって。そしたら、頭のベン・アリは、ものすごくおこって歯ぎしりした。いうとおりにしないと海に放りこむぞって。ぼくは下に連れてこられたけど、上ではずっと、ふたりが言い合ってた。次の日、今度は上に連れていかれた。でも、おじちゃんはどこにもいなかった。おじちゃんはどこ、って海賊にきいたんだけど、教えてくれなかった。ぼく、すごく心配なんだ。海に放りこまれて、おぼれちゃってたらどうしよう」

小さな男の子はまた泣きはじめた。

「そうか……まあ、待て」先生はいった。「まず、泣きやんで、食堂に行って紅茶を飲もう。それで考えてみようじゃないか。きみのおじさんは無事だと思う。

おじさんが海に放りこまれたのを見たわけじゃないんだろう？　つまり、だいじょうぶということだ。きっとおじさんは見つかる。とにかく、お茶にしよう——いちごジャムつきでね。そうしたら、いい考えがうかぶよ」

動物たちはみんな、先生のまわりで興味しんしんで話をきいていた。そのあと、みんなで食堂に行って紅茶を飲んでいると、アヒルのダブダブが、すわっている先生のそばにきてささやいた。

「ネズミイルカに、この子のおじさんがおぼれたかきいてみたらどうですか？　イルカならきっと知ってます」

「なるほど」先生は、ふた切れ目のジャムをぬったパンを取りながらいった。

「その変な音はなに？　舌でちっちって、いったでしょ」男の子がきいた。

「ああ、言葉だよ。アヒル語のね」先生は答えた。「このアヒルはダブダブ、わたしの仲間だ」

「アヒルに言葉があるなんて、知らなかった。ほかの動物も、みんな先生の仲間なの？　あそこにいる変な動物はなに？　頭がふたつついてる」

「しっ！」先生が小さくいった。「マエモウシロモだ。こっちで話してるのを知られないようにしないと。とてもはずかしがり屋なんだ……ところで、どうしてあの小さな部屋に閉じこめられてたんだい？」

「海賊は、ぼくを閉じこめといて、ほかの船をおそいに行ったんだ。ドアをこわす音がしたとき、いったいだれがきたんだろうと思った。先生がきてくれて、ほんとによかった。ぼくのおじちゃんは見つけられそう？」

「がんばってやってみるよ。それで、おじさんはどんな人なんだ？」

「赤毛で」男の子はいった「ほんと、まっ赤なんだ。それと、うでに錨の絵をほってる。力持ちで、やさしくって、南大西洋でいちばんの船乗りだよ。おじちゃんのボートは〝かわいいサリー〟号って名前だったんだ。一本マストのスプール船だよ」

「〝ポンマスプールセン〟ってなに？」子ブタのガブガブが、ジップのほうをむいて、そっときいた。

「しっ！　あの子のおじさんが乗ってたボートの種類だよ。だまってらんないのか?」

「なあんだ。ボート? ジュースかと思った」

それから先生は、動物たちと遊んでいる男の子を食堂に残して甲板に出ると、ネズミイルカをさがした。

しばらくすると、波のあいだを飛びはねるネズミイルカの群れが見つかった。ブラジルへ行くとちゅうらしい。

ネズミイルカは、先生が船の手すりにもたれているのを見つけて、あいさつしに寄ってきた。

先生はネズミイルカに、赤毛で、うでに錨の絵をほっている男についてなにか知らないか、ときいた。

「かわいいサリー号の船長のことですか?」ネズミイルカがきいた。

「そうだ」先生がいった。「その人だ。おぼれてしまったのか?」

「釣りのボートは、しずめられてしまいました」ネズミイルカはいった。「海の底で見ました。だけど、なかにはだれもいませんでした。ぼくたち、のぞいてみたんです」

「船長のおいっ子が、この船に乗っているんだ」先生がいった。「それで、海賊がおじさんを海に放りこんだんじゃないかと、すごく心配してる。さがしてみてくれないか？　おじさんがおぼれてしまったかどうか知りたいんだ」

「ああ、おぼれてませんよ」ネズミイルカがいった。「もし、おぼれてたら、海の底のエビやカニからきいてるはずです。ぼくたち、海のニュースはぜんぶ知ってますから。エビやカニはぼくたちのことを〝海の新聞記者〟ってよんでます。だいじょうぶ。その子に伝えてください。残念だけど、おじさんがどこにいるかはわからない。だけど、おじさんが海でおぼれてないことはたしかだって」

そこで、先生は食堂にかけおりていって、男の子に今きいた話を教えてやった。男の子は手をたたいて大よろこびだ。すると、マエモウシロモが、男の子を背中に乗せて、食堂のテーブルのまわりをぐるぐるまわりだした。ほかのみんなはそのあとについてまわりながら、お皿にかぶせるふたをスプーンでたたいて、パレードごっこをした。

18

におい

「おじさんは、きっとすぐに見つかる」先生はいった。「かならず見つかる。おじさんが海に放りこまれてないのは、はっきりしたんだから」

すると、アヒルのダブダブがまた先生のところにきて、ささやいた。「ワシにたのんで、さがしてもらいましょう。ワシほど目がよく見える生き物はいませんからね。空のすごく高いところからでも、地面をはっているアリの数を数えられるくらいです。ワシにたのみましょう」

そこで、先生は、ツバメを使いに出してワシをよんできてもらうことにした。

一時間もすると、ツバメが六種類のワシを連れて帰ってきた。クロコシジロイヌワシ、ハクトウワシ、ミサゴ、イヌワシ、ヤシハゲワシ、オジロワシ。どのワシも、男の子の二倍はある。六羽が船の手すりにならんでとまると、兵隊が背なかを丸くして一列にならんでいるようだった。こわい顔でぴたりと翼をたたんだまま動かない。ぎらぎらとするどく光る黒い目だけを、あちらへこちらへと動かしている。

子ブタのガブガブはこわがって、樽の後ろにかくれた。あのおっかない目が、ぼくのおなかのなかをのぞいて、お昼にぬすみ食いしたものを見ている気がする、という。

先生はワシにいった。

「男の人が行方不明なんだ。赤毛の船乗りで、うでに錨の絵をほっている。すまないが、その人をさがしてくれないか？　この子はその船乗りのおいっ子なんだ」

ワシという鳥は、あまりしゃべらない。六羽のワシは低くかすれた声でこんな返事をした。

「よろこんで、全力をつくす。ジョン・ドリトル先生のためだ」

六羽のワシは飛びたった。ガブガブはかくれていた樽の後ろから出てきて、飛んでいくワシを見た。上へ、上へ、上へとワシは飛んでいく——さらに高く、もっと高く。やがて、先生の目にほとんど見えなくなるくらいまで行くと、ひとかたまりになって飛んでいたワシは、ばらばらになり、それぞれちがう方向へ飛びはじめた。北へ、東へ、南へ、西へ、黒い小さな砂つぶのようになって、広くて青い空のかなたへ散っていった。

「おっどろいたなあ！」ガブガブがそっといった。「あんな上まで！　羽がこげたりしないのかな。太陽まであとちょっとだったよ！」

長い時間がかかった。ワシがもどってきたときには、夜になりかけていた。

ワシは先生にいった。

「われわれは、あらゆる海、あらゆる国、あらゆる島、あらゆる町、あらゆる村を、地球の半分をまわってさがした。だが、見つからなかった。ジブラルタルの大通りで赤い毛が三本、パン屋のドアの前の手押し車にあるのを見つけた。だが、人間のかみの毛ではなかった。毛皮のコートの毛だった。どこをさがしても、陸にも海にも、その男の子のおじがいるようすはない。そして、われわれに見えないということは、見えるところにはいないということだ……ジョン・ドリトル先生のために、われわれは全力をつくした」

それから、六羽のワシは大きな翼をはためかせて、巣がある山や岩場に帰っていった。

「さて」ワシが飛んでいってしまうと、アヒルのダブダブがいった。「これからどうしましょうねえ？　この子のおじさんはぜったい見つけてあげなくちゃね。この子はまだ小さいから、ひとりで生きていくのはむり。人間の子は、アヒルの子とちがうもの。大きくなるまで世話してやらないと……チーチーがいてくれたらいいんですけど。チーチーならすぐにおじさんを見つけてくれるのにねえ。なつかしい、チーチー！　どうしてるかしら！」

「ポリネシアだけでも、いてくれたらな」白ネズミがいった。「ポリネシアなら、すぐになにか思いつくのに。ぼくたちをろうやから助けてくれたときのこと、覚えてるでしょ？　ほんと、頭がいいよね！」

「ワシがなんだ」ジップがいった。「えらぶってるだけじゃん。目はよく見えるかもしんないけど、それだけだ。人をさがしてくれってたのんだって、見つけらんない。すました顔で帰ってきて、自分たち以外に見つけられるやつはいない、とかいっちゃってさ。えらぶってるだけじゃん。パドルビーにいた、あのコリー犬にそっくりだ。それにさ、あの新聞記者とかいうネズミイルカも、ぜんぜんたいしたことない。あいつらが教えてくれたのは、おじさんは海のなかにいないってことだけ。ぼくたちが知りたいのは、おじさんがどこにいないか、じゃない。どこにいるかが知りたいんだ」

「ねえ、ちょっとはだまんなよ」子ブタのガブガブがいった。「口でいうのはかんたんだよ。でもさ、世界じゅうをまわって人間をひとりさがすのはかんたんじゃないよ。もしかしたらさ、おじさんは男の子が心配で、かみの毛がしらがになってるかもしれない。そのせいで、ワシが見つけられなかったっていうこともあるし。わかったようなことといわないほうがいいよ。ジップって、口ばっかだよね。

自分はなんにもしないくせに。ジップだって、おじさんを見つけてないんだから、ワシといっしょだろ？　見つけられなかったよね」

「見つけられなかった、だって？」ジップはいった。「いってくれるじゃないか。おまえなんかベーコンにして食ってやる！　ぼくは、まだ、やってみてないだけだろ？　見てろよ！」

　ジップは先生のところに行って、こういった。

「あの男の子に、おじさんの持ち物がポケットに入ってないかきいてく

「おまえなんかベーコンにして食ってやる！」

れませんか?」

そこで、先生は男の子にきいてみた。すると、男の子は金の指輪を見せた。ひもに通して首にかけてある。指にはめるには大きすぎたからだ。海賊がやってくるのが見えたとき、おじさんが男の子にくれたものだという。

ジップは指輪のにおいをかいでいった。

「これじゃだめだ。ほかになにかおじさんのものを持ってないか、きいてみてください」

今度は、男の子はポケットからとても大きな赤いハンカチを出した。「これも、おじちゃんのだよ」

ハンカチが出てきたとたん、ジップがさけんだ。

「かぎタバコ(はなからすって、かおりを楽しむこなのタバコ)、よっしゃあ! ブラック・ラピー(強いにおいのする、やすいかぎタバコ)だ。わかります? おじさんはかぎタバコをすうんだ。その子にきいてみてください、先生」

先生は男の子にきいた。すると、男の子がいった。「そうだよ。おじちゃんはかぎタバコをたくさんすうよ」

「よし！」ジップがいった。「もう、見つかったも同然だ。子ネコからミルクを取りあげるくらい、ちょろいぞ。その子に、おじさんは一週間以内に見つけてやるっていってください。甲板に出て、どっちから風がふいてくるか見てきます」

「しかし、もう暗い」先生がいった。「暗くては、見つけられないぞ！」

「暗くったって、だいじょうぶです。おじさんはブラック・ラピーのにおいがするんだから」ジップはそういいながら、階段を上がっていった。「もし、おじさんのにおいがもっとむずかしかったら、そうだな、糸とか、お湯のにおいだったら、だめだろう。けど、かぎタバコのにおいなら！　ちっ、ちっ！」

「お湯に、においがあるのか？」先生がきいた。

「もちろん、あります」ジップがいった。「お湯と水じゃ、ぜんぜんちがいます。ぬるま湯とか――氷とか――そういうのはむずかしいけど。ぼく、むかし、まっ暗な夜に、ひげそりに使ったお湯のにおいをたどって男の人を十五キロも追いかけたことがあります。その人はびんぼうで石けんがなかったんです……さあ、風はどっちからふいてるかな。遠くのにおいをかぐには風が大切なんだ。あんまり強くふいてちゃだめだけど。あと、もちろん、まっすぐふいてくれないとね。やわらかくてしめった風が、ずうっとふいてるのがいいんだ……お！　この風は北からだ」

それから、ジップは舳先に行って、風のにおいをかいだ。そしてひとりごとをつぶやきはじめた。

「タール、スペインタマネギ、灯油、ぬれたレインコート、くだいたローレルの葉っぱ、ゴムの焼けるにおい、洗たくちゅうのレースのカーテン……あ、ちがった、レースのカーテンが外に干してあるんだ。それから、キツネ――何百ぴきも――子ギツネもいるな。あとは――」

「そんないろいろなもののにおいが、この風からわかるのかい？」先生がきいた。

「あたりまえです！」ジップがいった。「今いったのは、わかりやすいにおいだけです――すごくにおうやつ。鼻かぜをひいてたって、イヌにはわかります。ちょっと待ってください。この風にはもっとわかりにくいにおいも混じってます

——ちょっとしかにおわない」

それから、ジップは目をしっかりつぶって、鼻をつきだし、口を半分開けたまま、一生けん命においをかいだ。

ジップは長いあいだなにもいわなかった。石のように動かない。息をとめているように見える。やっと話しはじめると、その声は夢をみながら悲しそうに歌っているような声だった。

「レンガ」ジップが小さな低い声でいった。「古い黄色のレンガ。ぼろぼろになってる、庭のへいのレンガだ。山の小川にいる、わかいウシのあまい息。ハト小屋のなまり板の屋根……それか、小麦の倉庫の屋根かな……お日様がかんかんに照りつけてる。ヤギ革の手袋。これは、クルミ材の机の引き出しに入ってる。土ぼこりの舞う道。道ばたにはスズカケノキがあって、その下の水おけからウマが水を飲んでる。ちっちゃいキノコのにおいもする。くさりかけの落ち葉のあいだから顔を出してるんだ。それと——それと——それと——」

「パースニップ（サトウニンジン）は？」子ブタのガブガブがきいた。

「ない」ジップがいった。「おまえ、食べ物のことしか考えてないんだな。パースニップなんかないよ。あと、かぎタバコも、ない。パイプタバコと、紙巻タバコはたくさんある。それと、葉巻も少し。だけど、かぎタバコはない。南風に変わるのを待たないとだめだな」

「どうせまた、風が弱いとか、いいわけするんだろ」ガブガブがいった。「適当なこといってんじゃないか、ジップ。海のどこかにいる人間を、においだけで見つけるなんてきいたことないや！　ジップにはむりだよ、むり」

「おい」ジップは本気でおこった。「鼻にかみつかれたいのか！　先生がぼくたちにけんかしないようにいってるから、安心だと思ってるのか。いいたい放題いって！」

「けんかはやめなさい！」先生がいった。「やめるんだ！　人生はそんなに長くない。なあ、ジップ、そのにおいは、どのあたりから流れてきたんだ？」

「デヴォンかウェールズか、そのへんです」ジップがいった。「風がそっちからふいてますから」

「そうか、そうか！」先生がいった。「すごいなあ、ジップは――ほんとうにすごい。次に書く本のためにメモしておこう。ジップに教えてもらって、わたしもにおいがよくわかるようになれば……いや、やめておこう。なにごとも〝腹八分にしておけ〟というからな。夕ごはんを食べにいこう。おなかがすいた」

「ぼくも」ガブガブがいった。

19
岩

次の日の朝は、みんな早起きして絹のベッドからぬけだした。太陽はまぶしいくらいにかがやいて、風は南からふいていた。

ジップは三十分ほど南風のにおいをかいでいた。それから、先生のところに行って、首を横にふりながらいった。

「かぎタバコのにおいはまだしません。東の風がふくまで、待ちましょう」

しかし、午後の三時になって、風が東に変わっても、ジップはかぎタバコのにおいをつかまえられなかった。

男の子はがっかりして、また泣きだした。きっと、だれもおじちゃんを見つけられないんだ、といって泣いている。しかし、ジップは先生にこういっただけだった。

「あの子にいってやってください。風が西に変わったら、たとえおじさんが中国にいても見つけてあげるよって——おじさんがブラック・ラピーのかぎタバコをかいでいてくれれば、かならず見つかるからって」

三日待ってやっと、西からの風がふいてきた。それは金曜日の朝で、空がようやく明るくなりかけていた。海にはとても細かい雨がふっていて、まるで、こい霧がかかっているようだ。しめったあたたかい風が、おだやかにふいている。

ジップは目を覚ますと、すぐに階段をかけあがって、鼻をつきだした。それから、今度は大よろこびで階段をかけおりて、先生を起こしにいった。

「先生！」ジップがさけんだ。「見つけました！　先生！　先生！　起きて！　ねえ！　見つけましたってば！　西の風がふいてます。もう、かぎタバコのにおいしかしません。上にあがって出発しましょう！　早く！」

そこで、先生はベッドから転がりでて、さっそくかじを取った。

「ぼく、舳先に行きます」ジップがいった。「先生はぼくの鼻を見て、鼻がむい

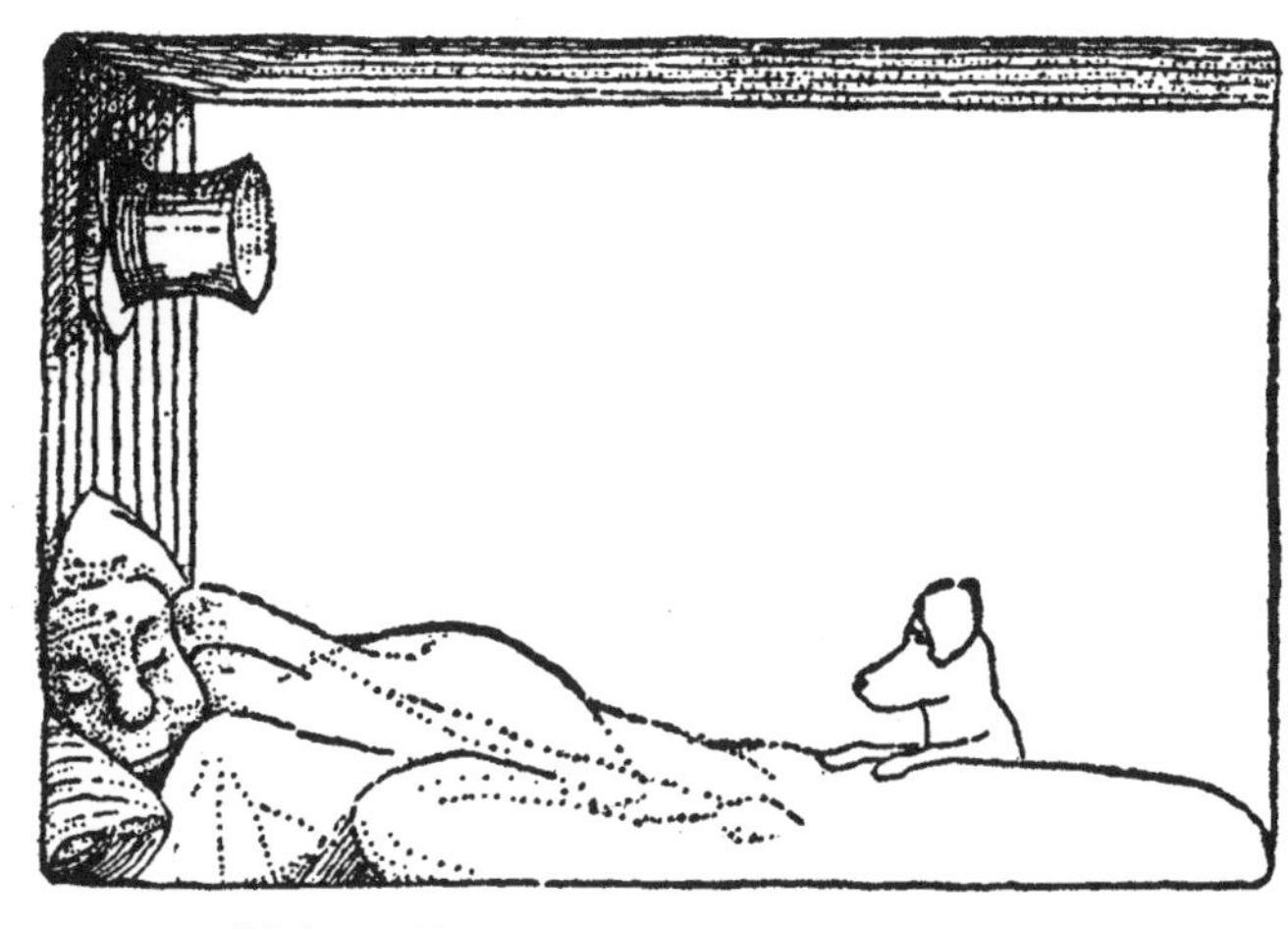

「先生！　見つけました！」ジップがさけんだ。

てるほうに船を進めてください。おじさんのいるところまでは、そんなに遠くない——はっきりにおうから。それに、気持ちのいい、しめった風がずっとふいてる。さあ、見ててください よ！」

こうして、午前中ずっと、ジップは舳先に立っていた。風のにおいをかいで、鼻先で先生にかじを取る方角を教えた。ほかの動物たちと男の子は、そのまわりで目を丸くして、ジップのようすをふしぎそうに見ていた。

お昼が近くなって、ジップはアヒ

ルのダブダブに先生への伝言をたのんだ。心配なことがあるので、先生と話したい、というのだ。すると、ダブダブは先生を船の後ろから連れてきてくれた。ジップは先生にいった。

「この子のおじさんはおなかをすかせています。できるだけ早く船を進めないといけません」

「なぜ、おなかがすいているとわかるんだい？」先生がきいた。

「西風からは、かぎタバコ以外のにおいがしないからです」ジップがいった。「おじさんがなにか料理をするか、食べるかしてれば、そのにおいもするはずです。でも、水も飲んでない。かぎタバコだけだ。わしづかみにして、かいでる。ぼくたちはおじさんに近づいていってます。においがどんどん強くなってきてるからわかる。でも、できるだけ早く船を進めてください。きっと、おじさんはなにも食べてない」

「わかった」先生はそういうと、アヒルのダブダブを使いに出した。ツバメにたのんで、海賊に追いかけられたときと同じように、船を引っ張ってもらおうと思ったのだ。

すると、元気なツバメたちがやってきて、もう一度船をひもで引っ張ってくれた。

たちまち、船は波のあいだを、ものすごい速さで飛びはねるように進みはじめた。あまりに速いので、海の魚は船の前から必死で飛びのいて、船にはねられないようにした。

動物たちはみんな、いてもたってもいられないようすだった。ジップを見るのをやめて、目の前の海を見ながら、どこかに陸か島がないかさがした。おなかをすかせたおじさんがいるかもしれない。

しかし、何時間たっても、船がいくら進んでいっても、まったいらな海が広がっているだけだった。陸地はまったく見えてこない。

動物たちは、おしゃべりをする気もなくなった。だまったまま、こまったような顔をして、つまらなそうにすわりこんでいる。男の子は、また泣きだしそうだ。ジップも、不安そうな顔をしている。

午後もおそくなって、ちょうど太陽がしずみはじめたとき、フクロウのトートーが、とまっていたマストのてっぺんから急に、ものすごく大きな声を出してみんなをびっくりさせた。

「ジップ！　ジップ！　この先にやたらと大きな岩が見えるぞ。ほら、ずうっと先、空と海がくっつくところだ。太陽が当たって光っているのが見えるだろう。金のかたまりみたいだ！　においはあそこからきているんじゃないか？」

すると、ジップが大声で返した。

「そうだ。そこだ。そこにおじさんがいる。やった、あれだ！」

船が近づくと、岩はとんでもなく大きいことがわかった。運動場のように広い。木は一本もないし、草も生えていない——なにひとつない。大きな岩はなめらかで、カメのこうらのようにつるんとしている。

先生は、船で岩のまわりを一周してみた。しかし、人間はどこにもいない。動物たちはみんな目をこらして、一生けん命にさがしている。ジョン・ドリトル先生は下から望遠鏡を持ってきた。

それでも、生き物はどこにも見つからない。カモメも、ヒトデも、海草の切れはしも、なにもない。

みんなは、じっと立ったまま耳をすました。なにか音がしないか耳をそばだてた。しかし、きこえてきたのは、船にやさしく打ちつける小さな波の音だけだ。

それから、みんなは口々にさけびはじめた。「おーい、だれかいるか！　おおーい！」声がかれるまでさけんだ。けれど、岩から返ってくるのは、こだまだけだ。

男の子はわっと泣きだした。

「もう、おじちゃんには会えないんだ！　うちのみんなに、なんていおう！」

ところが、ジップは先生にいった。

「おじさんはいます――いるんだ――ぜったいいる！　この岩のむこうからは、もうにおってこない。ぜったいここにいますって！　船を近づけて、ぼくが飛びうつれるようにしてください」

そこで、先生は船をできるだけ岩に寄せて、錨を下ろした。そして、ジップといっしょに岩の上にあがった。

ジップはすぐに鼻を岩に近づけて、あちこち走りまわった。あっちへこっちへ、行ったりきたり——ジグザグ進む、くるくるまわる、逆もどりして、急に曲がる。ジップのすぐあとについて走るうちに、とうとう、先生はへとへとになってしまった。

ついに、ジップが大きくワンとほえて、すわった。先生が走っていってみると、ジップは岩のまんなかに開いた大きくて深い穴をのぞきこんでいる。

「あの子のおじさんは、このなかです」ジップが小声でいった。「あのまぬけなワシが見つけられないわけだ！　人を見つけるのは、やっぱりイヌでなくちゃ」

そこで先生は穴に下りていった。そこは、洞穴かトンネルのようになっていて、ずっと奥まで続いている。先生はマッチをすって、暗い穴のなかを進んでいった。ジップがそのあとに続いた。

マッチは、しばらく行くと消えてしまうので、先生はマッチを次から次にすらなければならなかった。

とうとう、トンネルは行きどまりになった。岩でできた小さな部屋になっている。

部屋のまんなかには、かみのまっ赤な男の人が、うでまくらをして寝転がり――ぐっすりとねむっている！

ジップが飛びだしていって、男の人のわきに置いてあるもののにおいをかいだ。先生はかがんでそれを拾った。とても大きなかぎタバコ入れだ。なかにはブラック・ラピーがぎっしりつまっていた！

20
漁師の町

やさしく、とてもやさしく、先生は男の人を起こした。

ところが、ちょうどそのとき、マッチが消えてしまった。男の人はベン・アリがもどってきたのだと思って、暗やみで先生になぐりかかった。

しかし、ジョン・ドリトル先生が自分の名前をいって、小さなおいっ子を船にあずかっているというと、男の人は大よろこびして、それから、なぐったりしてすいませんとあやまった。先生のけがは、たいしたことはなかった。暗くてパンチが大あたりしなかったからだ。それから、男の人は先生にかぎタバコをひとつまみくれた。

男の人はこれまでのことを話した。バーバリのドラゴンに、岩に置き去りにされたこと。それは、自分が海賊にはならないといったせいだったこと。岩の上には家がなく、寒くてしかたがなかったので、ねむるときにはこの穴に入っていたこと。

最後に、男の人はいった。

「四日のあいだ、食べるもんも飲むもんもなくってね。かぎタバコで命をつないだんですよ」

「ほら！」ジップがいった。「いったとおりでしょう？」

それから、先生たちは、またマッチをすりながら、もときた道をたどって外に出た。先生は急いで男の人を船に乗せて、スープを飲ませた。

先生とジップが赤毛の男の人を連れてもどってくると、動物たちも男の子も、うれしそうに声を上げて船の上をおどってまわった。空を飛んでいたツバメも、思いきりさえずりはじめた。何十万、何百万羽もいる。勇気あるおじさんが見つかって、ツバメだってよろこんでいることを知ってほしかったのだ。ツバメが大きな声でさえずったので、遠くの海にいる船乗りたちは大あらしがくると思って、

「東のほうで風がうなってるぞ！」といった。

ジップはとくいでしかたがない。けれど、必死にそう見えないようにしていた。アヒルのダブダブがジップのところにきて「ジップ、あなたがこんなにかしこいなんて知らなかった！」といったときも、ジップはちょっと鼻を上にむけて、こう答えただけだった。

「いや、別にたいしたことないね。けど、人間を見つけるなら、イヌだよな。鳥は、こういうさがし物はとくいじゃないからさ」

それから先生は、赤毛のおじさんに家はどこかときいた。おじさんの答えをきいた先生は、ツバメたちに、まずそこへ連れていってほしいとたのんだ。

そこは小さな漁師町で岩山のふもとにあった。おじさんは自分の家を指さした。錨を下ろしていると、男の子のお母さん（おじさんの妹）が浜辺にかけつけた。お母さんは、わらいながら泣いている。二十日間、丘の上にすわって、海を見ながらふたりの帰りを待っていたのだ。

それから、お母さんは先生に何度もキスをしたので、先生は女の子のようにくすくすわらってまっ赤になった。ジップにもキスしようとしたけれど、ジップは走ってにげて、船にかくれてしまった。

「ばかみたいだ、キスなんて」ジップはいった。「やめてくれ。どうしてもっていうんだったら、ガブガブにキスしたらいい」

男の子のおじさんとお母さんは、先生を帰したがらなかった。ふたりは先生に、何日かとまっていってくださいといった。そこで、ジョン・ドリトル先生と動物たちは、土曜日、日曜日、月曜日の午前中までおじさんの家で過ごした。

漁師町の男の子はみんな、浜辺に下り

男の子のお母さんは先生に何度もキスをした。

てきては、そこに錨を下ろしている大きな船を指さして口々にいった。

「見ろよ！　あれ、海賊船だぜ。ベン・アリの――七つの海をまたにかける、おっかない海賊の！　シルクハットをかぶったあのすごい先生が――ミセス・トリベリアンとこにとまってる人だよ――バーバリのドラゴン、ベン・アリから船をぶんどったんだぜ。そんで、ベン・アリを鳥のえさを作る農夫にしたんだって。信じらんないよなあ。あんなにやさしそうなのに！……あのおっきな赤い帆を見ろよ！　悪者の船って感じ――速いんだろうな。すげえ！」

こうして、二日半、先生は小さな漁師町で過ごした。町の人たちは、お茶に、お昼に、夕食に、パーティにと、つぎつぎに先生をさそいにきた。女の人たちは花やおかしを先生に送った。町の楽団は、先生のとまっている部屋の外で、毎晩、音楽を演奏した。

とうとう、先生はいった。

「みなさん、わたしは家に帰らなければなりません。みなさんにはほんとうに親切にしていただきました。いつまでもわすれられない思い出になるでしょう。しかし、もう帰らなければなりません。しなければならないことがあるのです」

先生が出発しようとしたちょうどそのとき、町長が通りのむこうからやってきた。めかしこんだたくさんの人が、あとに続いている。町長は先生がとまっている家の前まできた。町の人はそのまわりで見物しながら、これからなにが始まるのだろうと思っていた。

六人の従者が、きらきら光るトランペットをふくと、人々のおしゃべりがやんだ。家から出てきた先生に、町長が話しかけた。

「ジョン・ドリトル先生」町長がいった。「先生のような人におくり物をさしあげることができて、とても光栄です。先生はバーバリのドラゴンを海から追いだしてくださった。わが町から感謝のしるしとして、この記念品をおくります」

町長はポケットからうすい紙にくるんだ小さな包みを取りだし、それを開くと、先生にとても美しい懐中時計をプレゼントした。時計のうら側には本物のダイヤモンドがちりばめてある。

それから、町長はポケットからもうひとまわり大きな包みを取りだしていった。

「あのイヌは、どこでしょう？」

そこで、みんなはジップをさがしはじめた。そして、ようやく、アヒルのダブダブが町のはずれにある馬小屋の前でジップを見つけた。このあたりのイヌがみんなジップのまわりに集まっている。どのイヌも、英雄ジップを前にして声も出ないようだった。

ジップが先生のとなりに連れてこられると、町長は大きいほうの包みを開けた。中身はイヌの首輪で、金でできていた！　そして、町の人々のおどろいたようなささやき声が、あちこちからきこえるなか、町長がひざをついてジップに首輪をつけた。

首輪には大きな字でこう書いてあった。「名犬ジップ――世界一かしこいイヌ」

そのあと、先生たちを見おくりに全員が浜辺に行った。赤毛のおじさんと男の子とお母さんは、先生とジップにお礼をいった。何度も何度も、ありがとうをくり返した。それから、赤い帆を上げた大きくて足の速い船は、むきを変え、パドルビーめざして海へ出ていった。町の楽団の演奏がいつまでも浜からひびいていた。

21 ふたたびわが家へ

三月の風がふきはじめ、去っていった。四月の雨がやみ、五月の花がさいた。そして、六月の太陽がさわやかな野にふりそそぐころ、ジョン・ドリトル先生はついに自分の国に帰ってきた。

しかし、すぐにパドルビーには帰らなかった。まずはマエモウシロモを荷馬車に乗せて、国じゅうのお祭りをまわった。お祭りの会場に着くと、アクロバット・ショーや人形劇とならんで、大きな看板を出した。そこには「アフリカのジャングルからきた、ふたつ頭のふしぎな動物。入場料　六ペンス」と書いてあった。

マエモウシロモが荷馬車のなかにいるあいだ、ほかの動物は荷馬車の下にかくれていた。先生は入り口のいすにすわって六ペンスを受けとり、にこにこしながらお客をなかに入れた。そして、アヒルのダブダブは先生を注意するのにいそがしかった。なぜなら、先生は子どもがくると、ダブダブが見ていないすきにただで入れてやろうとしたからだ。

動物園の飼育員やサーカスの団員がやってきては、そのめずらしい動物を売ってくれといった。お金は山ほどはらうという。しかし、先生は決まって首を横にふった。

「だめだ。マエモウシロモはぜったいにおりに入れたりしない。いつどこへいこうと自由なんだ。あなたやわたしと同じようにね」

お祭りをまわる旅のとちゅうには、おもしろい場所や出来事がたくさんあった。しかし、外国で見たり、したりしてきたことにくらべれば、どれもこれも、なんだかつまらない。最初のうちは、サーカス団になったようでとても楽しかった。しかし、何週間かたつうちに、おそろしくたいくつになって、先生も動物たちも早く家に帰りたくなってきた。

先生は入り口のいすにすわっていた。

とてもたくさんの人が小さな荷馬車の前にやってきて、なかにいるマエモウシロモを見ようと六ペンスはらったので、先生はそれほどたたないうちに見世物の仕事をやめることができた。

　そして、ある晴れた夏の日、タチアオイの花がたくさんさいているなかを、先生はお金持ちになってパドルビーに帰った。大きな庭のある小さな家に、ふたたびもどってきたのだ。

　馬小屋で留守番をしていた足の悪い年寄りのウマは、先生に会えて大よろこび。ツバメたちもうれしそうだ。のき下の巣はもうできあがっていて、なかにはひながいる。そして、アヒルのダブダブもよろこんでいた。なつかしいわが家に帰ってきたのだ。ただ、家はどこもかしこもほこりだらけで、クモがあちこちに巣をはっていた。

　ジップは、まっさきに、となりに住んでいるうぬぼれ屋のコリー犬に金の首輪を見せにいき、それから庭じゅうをものすごい勢いで走りまわって、ずっとむかしにうめた骨をさがし、物置小屋からネズミを追いだした。子ブタのガブガブは、

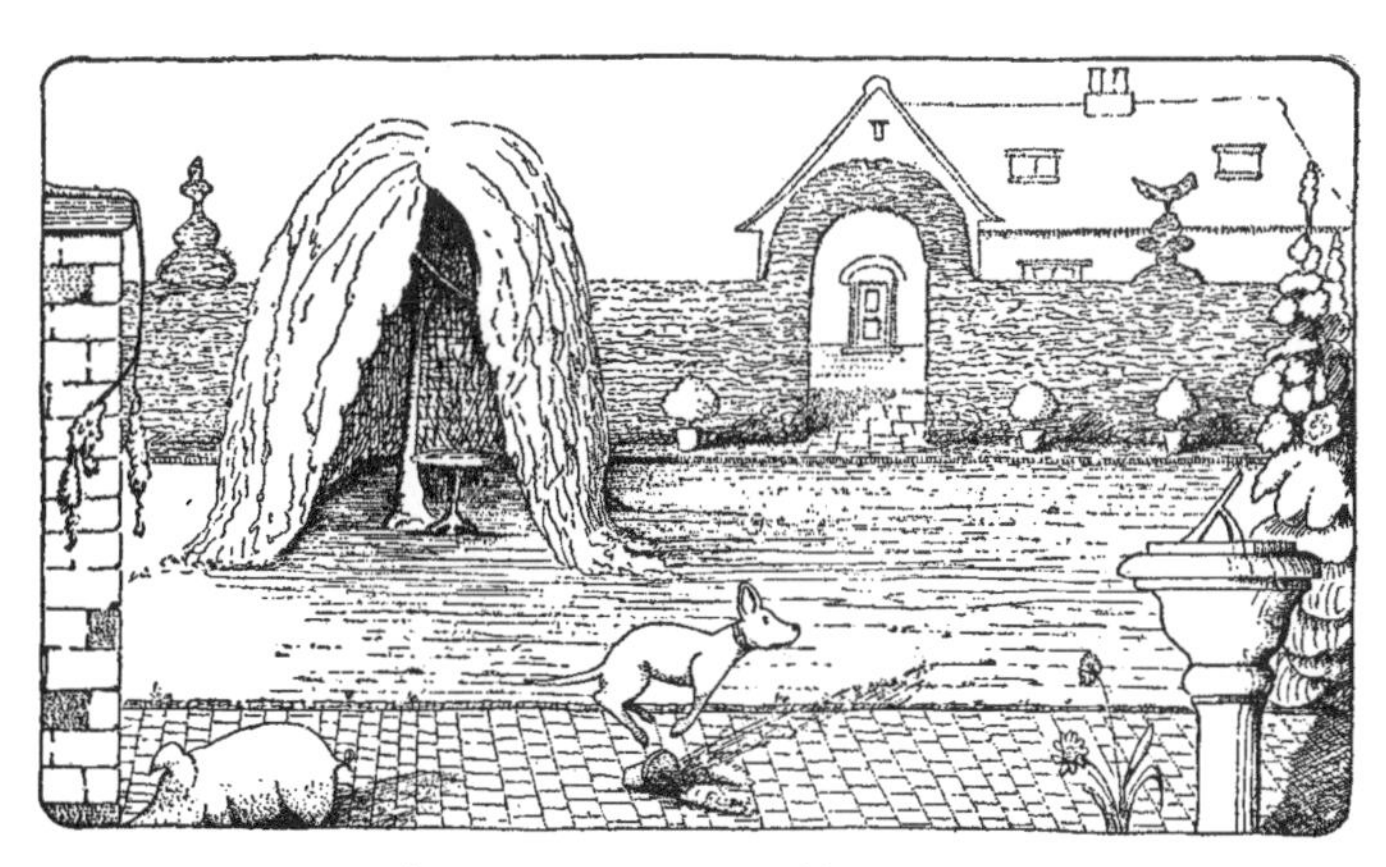

ジップは庭じゅうをものすごい勢いで走りまわった。

庭のすみでワサビダイコンをほっていた。ダイコンは、のびきって、葉の高さが一メートルになっていた。

先生は、船をかしてくれた船乗りに会いにいって、新しい船を二せき買って返し、赤ん坊にはゴム人形を買ってやった。それから店の主人のところに行って、アフリカへ出発するときに借りていたお金をはらった。次にピアノを買ってきて、白ネズミたちにまた引っ越してきてもらった。机の引き出しはすきま風が入る、といわれたからだ。

先生は食器だなにある古い貯金箱にお金を入れた。けれど、入りきらないお金がたくさんあったので、あと三つ、今までと同じ大きさの貯金箱を買ってきた。それでようやく、残りのお金もぜんぶ入った。

「お金っていうのは」先生はいった。「まったくめんどうだな。だが、心配事がへるのは、いいもんだ」

「そうですよ」アヒルのダブダブがいった。ちょうど、先生のおやつにマフィンを焼いているところだった。「そういうものです！」

やがて冬がきて、雪が台所の窓にふきつけるようになると、夕食を食べおわった先生と動物たちは、大きくてあたたかいだんろを囲んだ。そして、先生はみんなに自分の書いた本を読んでやった。

遠くはなれたアフリカでは、サルたちがヤシの木の上でおしゃべりをしていた。そろそろおやすみの時間で、空には大きな黄色い月が出ている。一ぴきのサルが仲間にいう。

「先生は今ごろどうしているだろう——あの遠いイギリスで！　またここにきてくれるかなあ？」

そんなとき、ポリネシアは木のツルのあいだから、かん高い声でいう。

「いらっしゃいますよ――いらっしゃるんじゃないかしら――いらしてほしいものですね」

すると、今度はワニが、川の黒い泥から顔を出して、うなるようにいうのだった。

「先生はぜったいにきてくれる。もう、寝ろ！」

おしまい

訳者あとがき

動物と話ができるようになったドリトル先生の冒険、どうでしたか。きっと、楽しかったと思います。

この『ドリトル先生アフリカへ行く』という、ゆかいな子どもの本が生まれたのはちょうど百年くらい前、一九二〇年のアメリカでした。二年後に、そのつづき、『ドリトル先生航海記』が生まれます。この二冊は出版されてすぐ大人気になって、そのつづき、そのまたつづき、そのまたまたつづき……というふうに三十年くらい、つづいていって、全部で十二冊出ます。そのほかに番外編もあります。

このシリーズはアメリカだけでなく、世界中のいろんな国で翻訳されて、いまでもたくさんの人々に読まれています。

日本でも井伏鱒二の翻訳で十二冊すべて訳されています。また、『ドリトル先生アフリカへ行く』や『ドリトル先生航海記』はほかにも、いろんな人が訳しています。

なぜこんなに読まれているかは、この本を読んだみなさんには、もうわかりますよね。

まず、なにより、ドリトル先生がかっこいい……いや、かっこよくはないけど、魅力的です。動物が大好きで、お金のことなんか、どうでもいい。アフリカのサルたちが伝染病でこまっているときくと、すぐに助けにいこうとする。けど、お金がない。


「もちろんアフリカには行ってあげたい――こっちは寒いから、よけいにね。しかし、きっぷを買うお金があるかどうか。貯金箱を取ってくれ、チーチー」

そこで、チーチーは食器だなを登って、いちばん上のたなに置いてある貯金箱を下ろしてきた。

なかは空っぽ――一ペニーもない！

「たしか、二ペンス残っていたはずなんだが」先生はいった。

「残ってましたとも」フクロウのトートーがいった。「でも先生は、アナグマの赤ちゃんに歯が生えたときに、おもちゃのガラガラを買っておやりになったじゃないですか」

「そうだったか？」先生はいった。「やれ、やれ！　お金っていうのはめんどうだな、ほんとうに！」

ところが、そんな先生なので、いつも、だれかが、助けてくれます。まわりの動物たちも喜んで、先生に力をかしてくれます。そしてみんなで世界を旅して回るのです。

「ドリトル先生」のシリーズを書いたのはヒュー・ロフティング。イギリスで生まれて、アメリカのマサチューセッツ工科大学で勉強をして、またイギリスにもどって勉強をして、そのあと測量技師や土木技師などをしながら世界のあちこちを訪れました。やがて第一次世界大戦のとき、将校としてフランスのフランダースにいき、戦場で軍馬がむざんに殺されていくのをみて悲しくてたまらず、そのとき思いついたのが、動物と話のできるお医者さんの話でした。ヒュー・ロフティングは子どものころから動物が好きで、おもちゃの動物園で遊んだり、動物が出てくる話を作ってきょうだいにきかせたりしていたそうです。

ヒュー・ロフティングは戦場から、そのお医者さんの話を手紙に書いて、ふたりの子どもに送りました。便箋の端にはドリトル先生や動物たちの絵が描いてあったそうです。それがもとになって、『ドリトル先生アフリカへ行く』が生まれました。

この本には、ヒュー・ロフティングの子どものときの思いと、世界のいろんなところへの旅の思い出がつまっているのですが、それだけではありません。この物語は、人間や動物をむごたらしく殺してしまう戦争、戦争を起こしてしまう人間への怒りと悲しみがきっかけになって生まれたのです。ドリトル先生の、どうかみんな、動物も人間も、なかよくしようよ、という性格そのものが、それを教えてくれています。暴力はいけない、いじめはいけない、大きくて強いからといっていばってはいけない、お金のことばかり考えていちゃだめだ、ドリトル先生はいつもみんなにそういいます。

ヒュー・ロフティングの三番目の子どもクリストファー・ロフティングは、ドリトル先生についてこんなことをいっています。

> 父が戦地から送った物語は、ある意味、戦争に対する抗議でした。
> 父は戦争で動物たちがむざんに殺されているのをみてぞっとしたのです。戦場には何千頭もの軍馬がいました。そして農家の牛や豚や羊、ほかにペットもいたのです。そんな動物たちが銃弾や砲弾で殺されていきました。それをみて、父が作りあげたのがドリトル先生、動物たちと話せて、手当てをしてやれるスーパーヒーロー、父にはできなかったことができる英雄だったのです。
>
> （一九六七年十二月四日、ロジャー・エバートのインタビューに答えて）

ヒュー・ロフティングは第一次世界大戦で負傷したのち、アメリカに移住し、このドリトル先生シリーズの最初の本をアメリカの出版社から出すことになります。その十五年後、クリストファー・ロフティングが生まれました。

このクリストファー・ロフティングが、父ヒュー・ロフティングの書いた『ドリトル先生アフリカへ行く』を書き直したのが、この本です。

「え、なんで書き直したの？」と思った人も多いでしょう。百年間ずっと世界中で読まれてきた名作を書き直すなんて、ありえない、そう思うのがふつうです。

じつはこのドリトル先生のシリーズ、アメリカでは何十年もずっと、図書館にも書店にもなかったのです。ほかにも同じような国がありました。つまり、読もうと思っても、読めなかったわけです。なぜかというと、差別的な言葉やエピソードがいくつか出てくるからです。日本でも、昔は多くの人が使っていたけれど、いまはもうだれも使わなくなった差別語があります。また、昔は多くの人が差別とは思わなかったけれど、いまでは差別だとだれもが思うような決まりや考え方があります。

この本でいえば、大きく変わっているのは十一章と十二章です。ろうやに入れられたドリトル先生たちを助けようと、頭のいいポリネシアが王子に催眠術をかけるところ。もとの本では、王子は肌が黒いのがいやで、白人みたいに白い肌になれたらいいのにと思っているところに、ポリネシアが妖精の女王になりすまして（姿がみえないように隠れて、声だけで）、肌をまっ白にしてくださるお医者さんがいるんですよと、教えることになっています。

たしかに、この部分を読むと、アフリカの人はいやでしょうし、アメリカの黒人も、「白い肌になりたくなんかない。黒い肌だって美しい！」といいたくなります。

ドリトル先生のシリーズは文句なくおもしろい、素敵なシリーズでした。しかし、世界は百年前とくらべると驚くほど変わってきました。ほんの少し変えるだけで、いまの人たちが楽しめる読み物になるなら、そのほうがいいと思います。そもそも、長い間、ほとんどの人々に楽しく読まれていたのですから。クリストファー・ロフティングが手を入れることで、この本は百年前の魅力を取りもどしたといってもいいかもしれません。父の残した名作を心から愛しているクリストファーは、差別的なところ以外はほとんど手をつけていません。

この本で、もうひとつうれしいのは、原書と同じようにヒュー・ロフティングの挿絵がついていることです。トーベ・ヤンソンのムーミンのシリーズもそうですが、作者自身が挿絵を描いている本の楽しさは格別です。ヒュー・ロフティングが戦場から自分の子どもたちに送った便箋に描きそえた絵を、想像しながら読んでみるのもいいでしょう。

二〇二〇年二月　金原瑞人

ドリトル先生アフリカへ行く

２０２０年４月６日　初版第一刷発行
２０２４年12月25日　初版第二刷発行

著　ヒュー・ロフティング
共訳　金原瑞人　藤嶋桂子
装丁　川名潤
発行所　株式会社竹書房
〒１０２－００７５
東京都千代田区三番町８－１
三番町東急ビル６階
印刷所　中央精版印刷株式会社

定価はカバーに表示してあります。

乱丁・落丁の場合はfuryo@takeshobo.co.jpまでメールにてお問い合わせください。

Printed in Japan